CON

Extraordinary Tales
Histoires Extraordinaires

When The World Screamed
Le jour où la terre hurla

The Lost Special
Un train spécial disparaît

The Bully of Brocas Court
La brute de Brocas Court

2e édition

Choix, traduction et notes par
Michel MARCHETEAU
Agrégé de l'Université

Les langues pour tous

Collection dirigée par Jean-Pierre Berman,
Michel Marcheteau et Michel Savio

ANGLAIS Série bilingue

Niveaux : ❑ facile (1er cycle) ❑❑ moyen (2e cycle) ❑❑❑ avancé

Littérature anglaise et irlandaise

- **Carroll (Lewis)** ❑
  Alice in Wonderland
- **Cleland (John)** ❑❑❑
  Fanny Hill
- **Conan Doyle** ❑
  Nouvelles (4 volumes)
- **Fleming (Ian)** ❑❑
  James Bond en embuscade
- **Greene (Graham)** ❑❑
  Nouvelles
- **Jerome K. Jerome** ❑❑
  Three men in a boat
- **Mansfield (Katherine)** ❑❑❑
  Nouvelles
- **Masterton (Graham)** ❑❑
  Grief - The Heart of Helen Day
- **Wilde (Oscar)**
  Nouvelles ❑
  The Importance of being Earnest ❑❑

Ouvrages thématiques

- **Wodehouse P.G.**
  Nouvelles ❑❑
- **L'humour anglo-saxon** ❑
- **L'anglais par les chansons** ❑ (+CD)
- **Science fiction** ❑❑

Littérature américaine

- **Bradbury (Ray)** ❑❑
  Nouvelles
- **Chandler (Raymond)** ❑❑
  Trouble is my business
- **Columbo** ❑
  Aux premières lueurs de l'aube
- **Fitzgerald (Scott)** ❑❑❑
  Nouvelles
- **George (Elizabeth)** ❑❑
  Trouble de voisinage
- **Hammett (Dashiell)** ❑❑
  Murders in Chinatown
- **Highsmith (Patricia)** ❑❑
  Nouvelles
- **Hitchcock (Alfred)** ❑❑
  Nouvelles
- **King (Stephen)** ❑❑
  Nouvelles
- **James (Henry)** ❑❑❑
  The Turn of the Screw
- **London (Jack)** ❑❑
  Nouvelles

Anthologies

- **Nouvelles US/GB** ❑❑ **(2 vol.)**
- **Les grands maîtres du fantastique** ❑❑
- **Nouvelles américaines classiques** ❑❑

Autres langues disponibles dans les séries de la collection
Langues pour tous

ALLEMAND - AMÉRICAIN - ARABE - CHINOIS - ESPAGNOL - FRANÇAIS - GREC - HÉBREU
ITALIEN - JAPONAIS - LATIN - NÉERLANDAIS - OCCITAN - POLONAIS - PORTUGAIS
RUSSE - TCHÈQUE - TURC - VIETNAMIEN

Sommaire

Prononciation

Elle est donnée dans la nouvelle transcription – Alphabet Phonétique International modifié – adoptée par A.C. GIMSON dans la 14ᵉ édition de l'*English Pronouncing Dictionary* de Daniel JONES (Dent, London).

Sons voyelles

[ɪ] **pit**, un peu comme le *i* de *site*
[æ] **flat**, un peu comme le *a* de *patte*
[ɒ] ou [ɔ] **not**, un peu comme le *o* de *botte*
[ʊ] ou [u] **put**, un peu comme le *ou* de *coup*
[e] **lend**, un peu comme le *è* de *très*
[ʌ] **but**, entre le *a* de *patte* et le *eu* de *neuf*
[ə] jamais accentué, un peu comme le *e* de *le*

Voyelles longues

[iː] **meet**, [miːt] cf. *i* de *mie*
[ɑː] **farm**, [fɑːm] cf. *a* de *larme*
[ɔː] **board**, [bɔːd] cf. *o* de *gorge*
[uː] **cool**, [kuːl] cf. *ou* de *mou*
[ɜː] ou [əː] **firm**, [fəːm] cf *e* de *peur*

Semi-voyelle

[j] **due**, [djuː], un peu comme *diou*…

Diphtongues (voyelles doubles)

[aɪ] **my**, [maɪ], cf. *aïe !*
[ɔɪ] **boy**, cf. *oyez !*
[eɪ] **blame**, [bleɪm], cf. *eille* dans *bouteille*
[aʊ] **now**, [naʊ] cf. *aou* dans *caoutchouc*
[əʊ] ou [əu] **no**, [nəʊ], cf. *e* + *ou*
[ɪə], **here**, [hɪə], cf. *i* + *e*
[eə] **dare** [deə], cf. *é* + *e*
[ʊə] ou [uə] **tour**, [tʊə], cf. *ou* + *e*

Consonnes

[θ] **thin**, [θɪn], cf. *s* sifflé (langue entre les dents)
[ð] **that**, [ðæt], cf. *z* zézayé (langue entre les dents)
[ʃ] **she**, [ʃiː], cf. *ch* de *chute*
[ŋ] **bring**, [brɪŋ], cf. *ng* dans *ping-pong*
[ʒ] **measure**, ['meʒa], cf. le *j* de *jeu*
[h] le *h* se prononce ; il est nettement expiré

Comment utiliser la série « Bilingue » ?

Cet ouvrage de la série « Bilingue» permet aux lecteurs :

• d'avoir accès aux versions originales de textes célèbres, et d'en apprécier, dans les détails, la forme et le fond ;

• d'améliorer leur connaissance de l'anglais, en particulier dans le domaine du vocabulaire dont l'acquisition est facilitée par l'intérêt même du récit, et le fait que mots et expressions apparaissent en situation dans un contexte, ce qui aide à bien cerner leur sens.

Cette série constitue donc une véritable méthode d'auto-enseignement, dont le contenu est le suivant :

• page de gauche, le texte en anglais ;

• page de droite, la traduction française ;

• bas des pages de gauche et de droite, une série de notes explicatives (vocabulaire, grammaire, rappels historiques, etc.).

Les notes de bas de page et la liste récapitulative à la fin de l'ouvrage aident le lecteur à distinguer les mots et expressions idiomatiques d'un usage courant et qu'il lui faut mémoriser, de ce qui peut être trop exclusivement lié aux événements et à l'art de l'auteur.

À la fin de chaque nouvelle une page de révision offre au lecteur une série de phrases types, inspirées du texte, et accompagnées de leur traduction. Il faut s'efforcer de les mémoriser.

Il est conseillé au lecteur de lire d'abord l'anglais, de se reporter aux notes et de ne passer qu'ensuite à la traduction ; sauf, bien entendu, s'il éprouve de trop grandes difficultés à suivre le texte dans ses détails, auquel cas il lui faut se concentrer davantage sur la traduction, pour revenir finalement au texte anglais, en s'assurant bien qu'il en a maintenant maîtriser le sens.

Michel MARCHETEAU, agrégé d'anglais, est auteur de plusieurs ouvrages d'anglais commercial et économique et de méthodes audio-orales, il s'intéresse tout particulièrement à la diffusion des langues dans le grand public. Il est, avec J.-P. Berman et Michel Savio, codirecteur de la collection *Langues pour tous.*

ISBN : 978-2-266-14790-3

INTRODUCTION

Sir Arthur Conan Doyle (1859-1930) est surtout célèbre pour les enquêtes de son héros Sherlock Holmes. Mais lui-même attachait plus d'importance à ses romans historiques, situés à l'époque de la Renaissance (**La Compagnie Blanche, Sir Nigel**) ou lors de l'épopée napoléonienne (**Les Aventures du Brigadier Gérard**), ou à ses nouvelles fantastiques qu'à sa contribution à la littérature policière, dont il fut pourtant un des pères fondateurs.

À tel point que las d'être perçu, trop exclusivement à son gré, comme le créateur du populaire détective, il le fit disparaître en 1893 au fond d'un précipice alpin (**Le Problème Final**)... avant de lui faire reprendre du service (**Le Retour de Sherlock Holmes**) devant les protestations indignées du public et les pressions de ses éditeurs.

Les nouvelles présentées ici montrent à quel point Conan Doyle est dans son élément dans le domaine de l'extraordinaire et quel plaisir il prend à évoluer à la lisière de l'inconnu et aux confins du mystère (notons à ce sujet qu'il consacra les dix dernières années de sa vie à la cause du spiritisme). Qu'il s'agisse d'énigme (**The Lost Special**), de science-fiction (**When the World Screamed**) ou de fantastique (**The Bully of Brocas Court**), sa capacité à créer une atmosphère et son talent de conteur tiennent le lecteur en haleine et sous le charme de la première à la dernière ligne. La familiarité du ton, la simplicité du style et l'humour sous-jacent rendent finalement le récit plus crédible, et en tout cas plus divertissant, que l'emphase, l'enflure et le pathos trop souvent présents dans ce genre de littérature.

Dans ces textes, on appréciera la compétence technique dont fait preuve l'auteur dans des domaines aussi différents que les puits artésiens, les chemins de fer et la boxe. Cette variété d'intérêts est un élément essentiel de la culture et de l'existence de Conan Doyle, homme de lettres et homme d'action. Intellectuel, nourri des classiques grecs et latins, mais aussi de littérature contemporaine, fin linguiste (il lit Jules Verne dans le texte, parle norvégien, etc.), c'est également un grand sportif (il pratique le football, le cricket, le billard, et est un expert reconnu du « noble art »), un grand voyageur et un homme de science (il est médecin diplômé). Il puise dans cet immense réservoir de connaissances pour intéresser et distraire, avec ce goût du détail concret qui fait entre autres le charme des aventures de Sherlock Holmes, sans jamais être pesant ou supérieur, mais entretenant toujours avec son lecteur une relation de complicité.

C'est parce que nous sentons chez l'auteur le plaisir et l'amusement du conteur que nous nous laissons si facilement entraîner à sa suite. Le sentiment de sympathie qu'il suscite, joint à l'accessibilité de sa langue, même pour des non-spécialistes, facilite l'effort de la lecture, et permet de savourer ses récits tout en progressant en anglais.

Michel Marcheteau

When The World Screamed

Le jour où la terre hurla

I had a vague recollection[1] of having heard my friend Edward Malone, of the *Gazette*, speak of Professor Challenger[2], with whom he had been associated in some remarkable adventures. I am so busy, however, with my own profession, and my firm has been so overtaxed with orders, that I know little of what is going on in the world outside my own special interests. My general recollection was that Challenger had been depicted as a wild[3] genius of a violent and intolerant disposition[4]. I was greatly surprised to receive a business comunication from him which was in the following terms :

14 (Bis), Enmore Gardens,
Kensington.

'Sir,[5],

'I have occasion to engage the services of an expert in Artesian borings[6]. I will not conceal from you that my opinion of experts is not a high one, and that I have usually found that a man who, like myself, has a well-equipped brain[7] can take a sounder[8] and broader view than the man who professes a special knowledge (which, alas, is so often a mere profession)[9], and is therefore limited in his outlook. None the less, I am disposed to give you a trial[10]. Looking down the list of Artesian authorities, a certain oddity[11] – I had almost written absurdity – in your name[12] attracted my attention, and I found upon inquiry that my young friend, Mr. Edward Malone, was actually[13] acquainted with you[14].

---

1. **recollection** : *souvenir.*
2. **Challenger** : de challenge, *défi*, **to challenge**, *défier.* Un challenger est un provocateur, une personne qui relève les défis. Les aventures mentionnées ici sont celles racontées dans **The Lost World**, *le monde perdu*, découverte d'une région où règne encore la préhistoire.
3. **wild** : *sauvage, non-domestique ; farouche, violent, furieux.*
4. **disposition** : *1) caractère, tempérament, inclination. 2) disposition, arrangement.*
5. **Sir** : formule sèche, hautaine ou administrative. Une lettre commence normalement par Dear Sir, Dear Madam, quand on ne connait pas la personne.
6. **borings** : de **to bore**, *percer, creuser, forer, sonder.*
7. **sounder** : comparatif de l'adjectif **sound**, *sain, bien portant, solide ; juste, sensé, valable.*

Je me souvenais vaguement avoir entendu mon ami Edward Malone, de la Gazette, parler du professeur Challenger, qu'il avait accompagné dans quelques mémorables aventures. Je suis si pris, cependant, par mon propre métier, et mon entreprise a été si surchargée de commandes, que je suis peu au courant de ce qui se passe dans le monde en dehors de mon domaine particulier. Autant que je m'en souvienne, on avait décrit Challenger comme un génie imprévisible d'humeur violente et intolérante. Je fus très surpris de recevoir de sa part une lettre professionnelle dont voici la teneur :

14 (Bis) Enmore Gardens,

Kensington

Monsieur,

J'ai l'occasion d'engager les services d'un expert en forages artésiens. Je ne vous cacherai pas que je n'ai pas une haute opinion des experts, et que j'ai souvent constaté qu'un homme qui, comme moi, dispose d'une tête bien faite a des vues plus saines et plus larges que celui qui professe des compétences spéciales (ce qui hélas, n'est bien souvent qu'une profession de foi) et dont l'approche est limitée en conséquence. Je suis prêt malgré cela à vous mettre à l'essai. En parcourant la liste des spécialistes en puits artésiens, mon attention a été attirée par une certaine bizarrerie – j'avais presque écrit absurdité – de votre nom, et j'ai découvert après enquête que mon jeune ami, Monsieur Edward Malone vous connaissait bien.

---

8. **brain** : *cerveau, cervelle.*
9. **profession** : *1) déclaration, affirmation (sans preuves) ; 2) profession libérale.*
10. **trial** : *1) essai, épreuve. 2) procès, jugement.*
11. **oddity** : de l'adjectif **odd** : *1) bizarre, étrange, curieux ; 2) impair ; 3) qui reste(nt), dépareillé.* **An odd fifty**, *environ cinquante.* **Odd jobs**, *petits boulots.* **The odds**, *les chances.*
12. **In your name** : Peerless signifie *sans égal, sans pareil, sans pair*. De **peer** ; *pair, égal.* **Peer of the realm**, *pair du royaume*.
13. **actually** : *effectivement, réellement.* Attention à ce faux ami. L'adjectif actual signifie *véritable, vrai, authentique*. Actuellement se dit **currently, now, to day**.
14. **to be acquainted (with someone/sometting)** : *connaître, être au courant de.* Acquaintance : *connaissance, relation.*

I am therefore writing to say that I should be glad to have an interview with you, and that if you satisfy my requirements[1], and my standard is no mean one[2], I may be inclined to put a most important matter into your hands. I can say no more at present as the matter is one of extreme secrecy, which can only be discussed by word of mouth[3]. I beg[4], therefore, that you will at once cancel any engagement which you may happen[5] to have, and that you will call upon me at the above address at 10.30 in the morning of next Friday. There is a scraper as well as a mat, and Mrs. Challenger is most particular[6].

'I remain, Sir, as I began,[7]
'George Edward Challenger.'

I handed this letter to my chief clerk[8] to answer, and he informed the Professor that Mr. Peerless Jones would be glad to keep the appointment as arranged. It was a perfectly civil business note, but it began with the phrase[9] : 'Your letter (undated) has been received'. This drew a second epistle from the Professor :

'Sir,' he said – and his writing looked like a barbed wire fence[10] – 'I observe that you animadvert[11] upon the trifle[12] that my letter was undated. Might I draw your attention to the fact that, as some return for a monstrous taxation, our Government is in the habit of affixing a small circular sign or stamp upon the outside of the envelope which notifies the date of posting ? Should this sign be missing or illegible your remedy lies[13] with the proper postal authorities.

---

1. **requirements** : *besoin, exigence, condition requise.* **To meet the requirements**, *satisfaire la demande, répondre aux besoins.*
2. **mean** : *1) méchant ; 2) avare, mesquin. 3)* (ici) *médiocre, misérable, minable ; 4) moyen.*
3. **by word of mouth** : *de vive voix* ; signifie aussi *de bouche à oreille.*
4. **to beg** : *mendier, quémander, supplier*, peut aussi prendre un sens plus agressif et hautain, comme le français « je me permets... » c'est le cas ici.
5. **to happen** : *se produire (souvent par hasard).* **Do you happen to have...** *auriez-vous par hasard...*
6. **particular** : *1) particulier ; 2) minutieux, pointilleux, difficile, exigeant.*
7. La formule classique – et aujourd'hui un peu datée – serait **I**

Je vous écris par conséquent pour dire que je serais heureux d'avoir un entretien avec vous et que si vous répondez à mes exigences, qui sont loin d'être minces, il se peut que je consente à vous confier une tâche des plus importantes. Je ne puis en dire plus aujourd'hui car il s'agit d'une affaire extrêmement confidentielle, qui ne peut être discutée qu'oralement. Je vous prie donc de bien vouloir annuler immédiatement tout engagement que vous pourriez avoir pris, et de me rendre visite à l'adresse ci-dessus, à 10 heures du matin vendredi prochain. Il y a un décrottoir et un paillasson, et Madame Challenger est très méticuleuse. Je vous prie de croire, etc.

George Edward Challenger.

Je remis cette lettre à mon premier commis pour qu'il y réponde, et il informa le Professeur de ce que Monsieur Sanspareil Jones serait enchanté de se rendre au rendez-vous prévu. C'était une lettre d'affaires parfaitement civile, mais elle débutait par la formule : « Votre lettre (non datée) nous est bien parvenue ». Ce qui généra une seconde missive du professeur :

« Monsieur », disait-il – et son écriture ressemblait à du fil de fer barbelé – je constate que vous me chicanez sur cette vétille que ma lettre n'était pas datée. Puis-je attirer votre attention sur le fait que, en contre partie d'une fiscalité scandaleuse, notre gouvernement a l'habitude d'apposer un petit sceau ou tampon circulaire à l'extérieur de l'enveloppe qui précise la date de mise à la poste ? Au cas où ce signe serait absent ou illisible, il nous est loisible de prendre contact avec les autorités postales concernées.

---

remain yours sincerely (m. à m. : *je reste sincèrement vôtre*). Challenger joue sur les mots en écrivant « Je reste, comme je l'ai toujours été… » (j'ai commencé) etc. La formule normale de clôture d'une lettre est aujourd'hui : **Yours sincerely**, ou **Sincerely Yours**.

8. **clerk** GB [KLɑ:K], US [KLɜ:rK] : *employé, commis ; vendeur.*

9. **phrase** : *expression, formule, locution.* Le français phrase se dit **sentence**.

10. **fence** : *barrière, clôture, palissade.*

11. **to animadvert** : verbe rare et ponpeux qui signifie : *critiquer, chercher la petite bête.*

12. **trifle** : *bagatelle, petit rien, misère.* **It's a trifle difficult**, *c'est un peu/un tantinet difficile ;* **to trifle (with)** : *traiter à la légère.*

13. **to lie (with)** : *être du domaine de, de la responsabilité de.*

Meanwhile[1], I would ask you to confine your observations to matters which concern the business over which I consult you, and to cease[2] to comment upon the form which my own letters may assume.'

It was clear to me that I was dealing with a lunatic[3], so I thought it well before I went any further in the matter to call upon[4] my friend Malone, whom I had known since[5] the old days when we both played Rugger for Richmond. I found him the same jolly Irishman as ever, and much amused at my first brush[6] with Challenger.

'That's nothing, my boy', said he. 'You'll feel[7] as if you had been skinned alive when you have been with him five minutes. He beats the world for offensiveness[8]'.

'But why should the world put up with it ?'

'They don't[9]. If you collected[10] all the libel actions[11] and all the rows[12] and all the police-court assaults[13] –'

'Assaults !'

'Bless you[14], he would think nothing of throwing you downstairs if you have a disagreement. He is a primitive cave-man in a lounge[15] suit. I can see him with a club in one hand and a jagged[16] bit of flint in the other. Some people are born out of their proper century, but he is born out of his millennium. He belongs to the early neolithic or thereabouts.'

'And he a professor ![17]'

---

1. **meanwhile** : *en attendant, pendant ce temps, sur ces entrefaites.*
2. **to cease** : attention à la prononciation : [si:s]. (Son « s » et non « z »).
3. **lunatic** : *fou, aliéné, dément.* **A lunatic asylum**, *un asile d'aliénés.* Le français lunatique se dit **temperamental**, **whimsical**.
4. **to call upon/on someone** : *1) rendre visite à ; 2) faire appel à.*
5. Notez l'emploi du plus-que-parfait **I had known** en anglais, au lieu de l'imparfait français *je connaissais.* On aurait de même le présent-perfect au lieu du présent français : **I lave known him since**... *je le connais depuis...*
6. **brush** : *1) brosse, pinceau ; 2) accrochage, démélés, escarmouche.*
7. On a choisi d'utiliser le tutoiement en français, compte tenu du fait que Malone et Jones ont joué au rugby dans la même équipe.

Dans l'immédiat, je vous demanderai de limiter vos commentaires aux questions qui concernent l'affaire pour laquelle je vous consulte, et de cesser de critiquer la forme que peuvent revêtir mes propres lettres. »

Il m'apparut clairement que j'avais affaire à un fou, aussi estimai-je prudent, avant de m'engager plus avant, de prendre conseil auprès de mon ami Malone, que je connaissais depuis les jours anciens où nous jouions au rugby dans l'équipe de Richmond.

C'était toujours le même joyeux luron d'Irlandais, et il se montra très amusé par ma première escarmouche avec Challenger.

« Ce n'est rien, mon vieux », me dit-il. Quand tu auras été cinq minutes avec lui, tu auras l'impression d'avoir été écroché vif. C'est le champion du monde de l'agressivité. »

« Mais pourquoi le monde devrait-il l'accepter ? »

« On ne l'accepte pas. Si tu comptais tous les procès en diffamation, les disputes et les voies de fait au tribunal de police... « voies de fait ! »

« Mon Dieu, il n'hésiterait pas à vous pousser du haut de l'escalier en cas de désaccord. C'est un homme des cavernes en complet veston. Je le vois avec une massue dans une main et une pointe de silex acérée dans l'autre. Il y a des gens qui sont nés hors de leur siècle, mais lui est né hors de son millénaire. Il appartient au début du néolithique, ou quelques chose comme ça. »

« Et il est professeur ! »

---

8. **offensiveness** : de **offensive**, adj. : *injurieux, blessant, désagréable, agressif.*
9. sous-entendu **put up with it**.
10. **to collect** : rassembler.
11. **to bring an action against someone**, *poursuivre quelqu'un en justice, intenter un procès à quelqu'un.*
12. **row** [rau] ; *querelle, dispute, scène de ménage.* Ne pas confondre avec **row** [rəʊ], *rangée.*
13. cf. **assault and battery**, *coups et blessures...*
14. **to bless** : *bénir.*
15. **lounge** : salon (d'appartement) ; **lounge bar**, *salle de bar, bar d'hôtel.*
16. **jagged** ['dʒægid] : *déchiqueté, dentelé, au pourtour irrégulier.*
17. m. à m. *Et lui un professeur !*

'There is the wonder[1] of it ! It's the greatest brain in Europe, with a driving force behind it that can turn all his dreams into facts. They do all they can to hold him back[2] for his colleagues hate him like poison, but a lot of trawlers[3] might as well try to hold back the *Berengaria*[4]. He simply ignores[5] them and steams[6] on his way.'

'Well,' said I, 'one thing is clear. I don't want to have anything to do with him. I'll cancel that appointment.'

'Not a bit of it[7]. You will keep[8] it to the minute – and mind[9] that it *is* to the minute or you will hear of it.'

'Why should I ?'

'Well, I'll tell you. First of all, don't take too seriously what I have said about old Challenger. Everyone who gets close to him learns to love him. There is no real harm in the old bear. Why, I remember how he carried an Indian baby with the smallpox on his back for a hundred miles[10] from the back country down to the Madeira river. He is big every way. He won't hurt you if you get right with him.'

'I won't give him the chance.'

'You will be a fool if you don't. Have you ever heard of the Hengist Down Mystery – the shaft-sinking on the South Coast ?'

'Some secret coal-mining exploration, I understand.'[11]

Malone winked.

'Well, you can put it down[12] as that if you like. You see, I am in the old man's confidence, and I can't say anything until he gives the word[13]. But I may tell you this, for it has been in the Press.

---

1. **wonder** : *1) merveille, miracle, prodige ; 2) émerveillement, admiration, étonnement.* **to wonder**, *se demander ; s'étonner.*
2. **to hold back** : *retenir, empêcher d'avancer, empêcher de se manifester, réprimer* (une réaction).
3. **trawler** : de **to trawl**, *pêcher au chalut.*
4. **the Berengaria** : *gros paquebot de l'époque.*
5. **to ignore** : *ignorer volontairement, faire semblant de ne pas voir.* Attention : lorsque le français ignorer signifie simplement ne pas savoir, l'anglais sera **not to know**.
6. **to steam** : naviguer à la vapeur, **steam**. cf. **to sail**, *à l'origine naviguer à la voile* de **sail**, *voile.*
7. m. à m. : *rien du tout de ça.*

« Voilà le miracle ! C'est le plus grand cerveau d'Europe, et soutenu par un dynamisme qui peut transformer tous ses rêves en réalités. Ils font tout ce qu'ils peuvent pour lui faire obstacle, car ses collègues le haïssent comme la peste, mais des chalutiers pourraient aussi bien tenter de retenir le Berengaria. Ils les ignore superbement et continue sa course. »

« Eh bien, "dis-je", une chose est claire. Je ne veux rien avoir à faire avec lui. Je vais annuler ce rendez-vous. »

« N'en fais rien ! Tu t'y rendras ponctuellement – à la minute près où tu en entendras parler. »

« Pouquoi devrais-je y aller ? »

« Bon, je vais te le dire. D'abord, ne prends pas trop au sérieux ce que j'ai dit de ce vieux Challenger. Tous ceux qui l'approchent apprennent à l'aimer. Il n'y a nulle méchanceté chez le vieil ours. Tiens, je me souviens qu'il a transporté sur son dos pendant 150 kilomètres un bébé indien atteint de la variole, dans l'arrière pays jusqu'à la rivière Madeira. Il est énorme en tous points. Il ne te fera pas de mal si tu te conduis bien avec lui. »

« Je ne lui en donnerai pas l'occasion. »

« Tu serais stupide de ne pas le faire.

As-tu entendu parler du mystère des collines d'Hengist – le creusement d'un puits de mine sur la côte sud ? »

« Une recherche secrète de minerai de charbon, je crois. »

Malone cligna de l'œil.

« Tu peux dire ça comme ça si tu veux. Tu vois, je suis dans le secret du vieux, et je ne peux rien dévoiler sans son accord. Mais je peux te dire ceci, parce que les journaux en ont parlé.

---

8. **to keep an appointment** : *honorer/se rendre à un rendez-vous.*
9. **to mind** : *faire attention à attacher de l'importance à.* **Do you mind**, *est-ce que cela vous dérange*, **I don't mind**, *ça ne me fait rien, ça ne me gêne/dérange pas.*
10. **1 mile** : *un mille, soit 1,609 km.*
11. autre traduction : *si j'ai bien compris.*
12. **to put down (to)** : *attribuer à, imputer à, interpréter comme, mettre sur le compte de.*
13. **to give the word** : *prononcer le mot, donner le signal.* Ne pas confondre avec **to give one's word (my word, his word, etc.)**, *donner sa parole.*

A man, Betterton, who made his money in rubber, left his whole estate[1] to Challenger some years ago, with the provision[2] that it should be used in the interests of science. It proved to be an enormous sum – several millions. Challenger then bought a property at Hengist Down, in Sussex. It was worthless land on the north edge[3] of the chalk[4] country, and he got a large tract[5] of it, which he wired off. There was a deep gully in the middle of it. Here he began to make an excavation. He announced' – here Malone winked again – 'that there was petroleum[6] in England and that he meant[7] to prove it. He built a little model village with a colony of well-paid workers who are all sworn[8] to keep their mouths shut. The gully is wired off as well as the estate, and the place is guarded[9] by bloodhounds[10]. Several pressmen have nearly lost their lives, to say nothing of the seats of their trousers, from these creatures. It's a big operation, and Sir Thomas Morden's firm has it in hand, but they also are sworn to secrecy. Clearly the time has come when Artesian help is needed. Now, would you not be foolish to refuse such a job as that, with all the interest and experience and a big fat cheque at the end of it – to say nothing of rubbing shoulders[11] with the most wonderful man you have ever met or are ever likely to meet[12] ?'

Malone's arguments prevailed[13], and Friday morning found me on my way to Enmore Gardens. I took such particular care to be in time that I found myself at the door twenty minutes too soon.

---

1. **estate** : *bien, domaine, propriété, patrimoine, succession.* **Real estate** ; *(bien) immobilier.*
2. **provision** : *clause, article, stipulation, disposition.*
3. **edge** : *1) angle, arête, bord, rebord, bordure, marge, limite ; 2) tranchant, partie coupante (d'une lame, etc.).*
4. **chalk** : *craie, calcaire.* Attention à la prononciation [tʃɔ:K]. Le « l » n'est pas prononcé.
5. **tract** : *étendue (de terrain).*
6. **petroleum** : *pétrole, huile de roche, pétrole brut* : **crude oil.** Attention à l'anglais britannique **petrol** qui signifie *essence* (**gasoline, gas** en américain).
7. **to mean** [mi:n], **meant** [ment], **meant** : *1) signifier, vouloir*

Un homme, Betterton, qui a fait fortune dans le caoutchouc, a légué toute sa fortune à Challenger il y a quelques années, à condition qu'elle soit utilisée dans l'intérêt de la science. La somme s'est révélée être énorme – plusieurs millions. Challenger a alors acheté une propriété à Hengist Down, dans le Sussex. Il s'agissait d'un terrain sans valeur dans la partie nord de la région calcaire, et il en a acquis une grande étendue, qu'il a entourée de barbelés – Il y avait au milieu un profond ravin. C'est là qu'il a commencé à creuser. Il a annoncé – et Malone fit à nouveau un clin d'œil – qu'il y avait du pétrole en Angleterre et qu'il allait le prouver. Il a construit un petit village modèle avec une colonie d'ouvriers bien payés qui ont tous juré de tenir leur langue. Le ravin est entouré de barbelés comme le reste du terrain, et le lieu est gardé par des molosses. Plusieurs journalistes ont presque laissé leur vie, sans parler du fond de leur pantalon, dans la gueule de ces animaux. C'est une grosse opération, gérée par l'entreprise de Sir Thomas Morden, qui est aussi tenue au secret. Le moment est visiblement venu de faire appel à des spécialistes en forage. Alors ne serais-tu pas stupide de refuser un tel emploi, riche d'intérêt et d'expérience et avec un gros chèque au bout – sans parler de la fréquentation de l'homme le plus remarquable que tu aies jamais rencontré ou rencontreras jamais ? »

Les arguments de Malone me convainquirent, et le vendredi matin me trouva en route vers Enmore Gardens. Je tenais tant à me montrer ponctuel que j'arrivai vingt minutes trop tôt.

---

dire ; 2) avoir l'intention de.

8. **to swear, swore, sworn**, *jurer, prêter serment.* **To be sworn** *avoir prêté serment.*

9. **to guard** [ga:d]. Le « u » n'est pas prononcé. De même dans **guardian, guarantee, etc.**

10. **bloodhound** : *limier, chien de meute et* **blood**, *sang.* Attention à la prononciation [blʌd].

11. **to rub shoulders (with)** : *coudoyer, côtoyer, frayer avec, se frotter à.*

12. **to be likely to meet** : *avoir des chances de rencontrer.* **Likely** : *probable, vraisemblable.*

13. **to prevail** : *l'emporter, dominer, règner, prévaloir.*

I was waiting in the street when it struck[1] me that I recognized the Rolls-Royce with the silver arrow mascot[2] at the door. It was certainly that of Jack Devonshire, the junior partner of the great Morden firm. I had always known him as the most urbane of men, so that it was rather a shock to me when he suddenly appeared, and standing outside the door he raised both his hands[3] to heaven and said with great fervour : 'Damm him ! Oh, damn him[4] !'

'What is up, Jack ? You seem peeved[5] this morning.'

'Hullo, Peerless ! Are you in on[6] this job, too ?'

'There seems a chance of it.'

'Well, you will find it chastening to the temper[7].'

'Rather more so than yours can stand, apparently.'

'Well, I should say so[8]. The butler's message to me was : "The Professor desired me to say, sir, that he was rather busy at present eating an egg, and that if you would call[9] at some more convenient time he would very likely see you." That was the message delivered by a servant. I may add that I had called to collect forty-two thousand pounds that he owes us.'

I whistled.

'You can't get your money ?'

'Oh, yes, he is all right about money. I'll do the old gorilla the justice[10] to say that he is open-handed[11] with money. But he pays when he likes and how he likes, and he cares for nobody. However, you go and try your luck and see how you like it.' With that he flung[12] himself into his motor[13] and was off.

---

1. **to strike, struck, struck** : *frapper.* La forme de participe **stricken** a survécu comme adjectif en composition : **awe-stricken, panic-stricken**, *saisi/frappé de terreur, de panique.*
2. **mascot** : *mascotte, porte-bonheur, fétiche.*
3. m. à m. : *il leva ses deux mains.*
4. **to damn** : *damner.* Le « n » n'est pas prononcé. **Damned** [dæmd]. **Damn him !** m. à m. : *qu'il doit damné.*
5. **to peeve** : *irriter, fâcher, ennuyer.*
6. **to be in on something** : (familier) *participer à, être partie prenante dans, faire partie de, être au courant de.*
7. **chastening** ['tʃeisniŋ] **for the temper**, m. à m. : *éprou-*

J'attendais dans la rue quand je m'aperçus que je connaissais la Rolls Royce garée devant la porte, avec son emblême en forme de flèche d'argent. C'était sans aucun doute celle de Jack Devonshire, l'associé minoritaire de la grande entreprise Morden. Je l'avais toujours vu se conduire de la façon la plus courtoise, si bien que je reçus un choc quand il apparut soudain et, la porte franchie, leva les bras au ciel en disant avec passion « qu'il aille au diable ! »

« Que se passe-t-il Jack ? Vous avez l'air irrité ce matin. »

« Bonjour, Peerless ! Vous êtes aussi dans le coup ? »

« Ça se pourrait bien. »

« C'est une bonne école de sang froid, comme vous le verrez. »

« Apparemment plus que vous ne pouvez supporter ? »

« C'est ma foi vrai. Le message du maître d'hôtel était que "le Professeur m'a chargé de vous dire, Monsieur, qu'il était actuellement assez occupé à manger un œuf, et que si vous reveniez à un moment plus favorable, il vous recevrait très probablement." Tel était le message délivré par un serviteur. J'ajouterai que j'étais venu encaisser quarante deux mille livres qu'il nous doit. »

J'émis un sifflement.

« Vous ne pouvez-pas vous faire payer ? »

« Oh si, il est correct question argent. Je dois reconnaître que le vieux singe dépense largement. Mais il paie quand il veut et comme il veut, et il ne se soucie de personne. Mais allez donc tenter votre chance et voir ce que vous en pensez. » Sur ces mots, il sauta dans sa voiture et démarra.

---

vant/mortifiant pour le caractère/l'humeur. **To keep/lose one's temper**, *garder/perdre son sang-froid.*

8. m. à m. : *je dirais ainsi.*

9. m. à m. : *si vous rendiez-visite.*

10. **to do (someone) justice**, *rendre justice à quelqu'un.*

11. **open-handed** : *liberal, généreux. Nombreux composés avec* **open : open-eyed**, *qui voit clair,* **open-armed**, *accueillant,* **open-hearted**, *cordial, sincère,* **open-minded**, *à l'esprit ouvert.*

12. **to fling, flung, flung**, *jeter, lancer, projeter.*

13. **motor** : *archaïque* pour **motor-car**, *voiture.*

I waited with occasional glances at my watch until the zero hour should arrive. I am, if I may say so, a fairly hefty[1] individual, and a runner-up[2] for the Belsize Boxing Club middle-weights, but I have never faced an interview with such trepidation[3] as this. It was not physical, for I was confident I could hold my own[4] if this inspired lunatic should attack me, but it was a mixture of feelings in which fear of some public scandal and dread of losing a lucrative contract were mingled. However, things are always easier when imagination ceases and action begins. I snapped up[5] my watch and made for the door.

It was opened by an old wooden-faced butler, a man who bore[6] an expression, or an absence of expression, which gave the impression that he was so inured[7] to shocks that nothing on earth would surprise him.

'By appointment, sir[8] ?' he asked.

'Certainly.'

He glanced at a list in his hand.

'Your name, sir ?... Quite so, Mr. Peerless Jones... Ten-thirty. Everything is in order. We have to be careful, Mr. Jones, for we are much annoyed by journalists. The Professor, as you may be aware, does not approve[9] of the Press. This way, sir. Professor Challenger is now receiving.'

The next instant I found myself in the presence[10].I believe that my friend, Ted Malone, has described the man in his 'Lost World[11]' yarn[12] better than I can hope to do, so I'll leave it at that.

---

1. **hefty** : *fort, solide, lourd, pesant.* **A hefty sum**, *une grosse somme* ; **a hefty blow**, *un coup violent.*
2. **runner-up** : *second, premier des battus/refusés.*
3. **trepidation** : *émoi, agitation, tremblement.*
4. **to hold one's own** : *maintenir sa position, tenir bon, tenir ferme, ne pas céder.*
5. **to snap up** : allusion ici au bruit sec du couvercle de la montre quand on le referme. **to snap** : *1) saisir, happer ; 2) claquer 3) rompre, casser.*
6. **to bear, bore, borne** : *porter.* Attention, ce n'est que dans **I was born**, *je suis né* que le participe passé s'écrit sans « e ».
7. **to be inured** : *être endurci, aguerri.*

J'attendis l'heure H en jetant de temps en temps des coups d'œil à ma montre. Je suis, si j'ose dire, quelqu'un de plutôt costaud, j'ai été finaliste en poids-moyens au club de boxe de Belsize, mais je n'ai jamais eu autant d'appréhension avant un entretien. Ce n'était pas par peur physique, car je me savais capable de faire face au cas où cet illuminé m'attaquerait, mais c'était un mélange d'émotions où se combinaient l'inquiétude d'un scandale public et la crainte de perdre un contrat lucratif. Cependant, les choses sont toujours plus faciles quand l'imagination est remplacée par l'action. Je refermai ma montre et me dirigeai vers la porte.

Elle fut ouverte par un vieux maître d'hôtel au visage de bois, un homme dont l'expression, ou l'absence d'expression, donnait l'impression qu'il était si habitué aux chocs que rien au monde ne pouvait le surprendre.

« Vous aviez rendez-vous ? » demanda-t-il.

« Bien sûr. »

Il jeta un coup d'œil à une liste qu'il avait à la main.

« Votre nom, Monsieur ?... Tout à fait, Monsieur Peerless Jones. Dix heures trente. C'est parfait. Nous devons être très prudents, Monsieur Jones, car nous sommes harcelés par les journalistes. Le Professeur, comme vous le savez probablement, n'aime pas beaucoup la presse. Par ici, Monsieur. Le Professeur Challenger va vous recevoir. »

L'instant suivant je me trouvais devant Lui. Je pense que mon ami Ted Malone a décrit l'homme dans sa fable « Le Monde Perdu » mieux que je ne pourrais le faire, aussi en resterai-je là.

---

8. **appointment** : *1) rendez-vous ; 2) nomination.*

9. L'emploi de **of** après **to approve** introduit l'idée d'un jugement moral.

10. L'expression **In the presence** s'applique à la présence d'un roi, etc. Humoristique ici par sa pomposité.

11. **The Lost World**, *roman de Conan Doyle* dans le cycle du Professeur Challenger.

12. **yarn** : *histoire* (de marin, de voyageur) plutôt considérée comme un conte, une fable, une légende. Peerless Jones ne croit visiblement pas aux « faits » rapportés dans « Le Monde Perdu ».

All I was aware of[1] was a huge trunk of a man[2] behind a mahogany desk, with a great spade-shaped black beard[3] and two large grey eyes half covered with insolent drooping[4] eyelids. His big head sloped[5] back, his beard bristled forward[6], and his whole appearance conveyed[7] one single impression of arrogant intolerance. 'Well, what the devil do *you* want ?' was written all over him. I laid my card on the table.

'Ah yes,' he said, picking it up and handling[8] it as if he disliked the smell of it. 'Of course. You are the expert – so-called. Mr. Jones – Mr. Peerless Jones. You may thank your godfather, Mr. Jones, for it was this ludicrous prefix[9] which first drew my attention to you.'

'I am here, Professor Challenger, for a business interview and not to discuss my own name,' said I, with all the dignity I could muster[10].

'Dear me, you seem to be a very touchy person, Mr. Jones. Your nerves are in a highly irritable condition. We must walk warily in dealing with you, Mr. Jones. Pray sit down and compose yourself[11]. I have been reading your little brochure upon the reclaiming[12] of the Sinai Peninsula. Did you write it yourself ?'

'Naturally, sir. My name is on it.'

'Quite so ! Quite so ! But it does not always follow[13], does it ? However, I am prepared to accept your assertion. The book is not without merit of a sort. Beneath the dullness of the diction[14] one gets glimpses of an occasional idea.

---

1. m. à m. : *Tout ce dont j'étais conscient...*
2. m. à m. : *Un énorme tronc d'un homme...* Tournure avec **of** assez fréquente : **a fine figure of a woman**, *un beau corps de femme*, **that fool of a lawyer**, *cet idiot d'avocat*, **a little wisp of a man**, *un tout petit bout d'homme.*
3. **beard** : attention à la prononciation [biəd]. **spade** : *1) bêche ; 2) (cartes) pique.*
4. **to droop** : *s'abaisser, pendre, retomber ;* (fleurs) *se faner.*
5. **to slope** : *être en pente, pencher, (s')incliner.*
6. **to bristle** [brisl] : *se hérisser ; se rebiffer.*
7. **to convey** : *transporter, transmettre, communiquer.*
8. **to handle** : *1) manier, manipuler ; 2) brasser, gérer.*
9. **prefix** : *1) préfixe ; 2)* (ici) titre précédent un nom propre

J'avais devant moi un homme au torse puissant derrière un bureau en acajou, avec une volumineuse barbe noire de forme triangulaire, et deux grands yeux gris insolents sous des paupières tombantes. Sa tête massive s'inclinait en arrière, sa barbe se hérissait, et il émanait de tout son être une même impression d'intolérance arrogante. « Eh bien, que diable voulez-vous ? » était écrit sur toute sa personne. Je posai ma carte sur le bureau.

« Ah oui, » dit-il en la saisissant et en la tenant comme si l'odeur lui en déplaisait. « Bien sûr. C'est vous l'expert – le soi-disant expert. Monsieur Jones, Monsieur Peerless Jones. Vous pouvez remercier votre parrain pour ce prénom grotesque qui a attiré mon attention. »

« Je suis ici, Monsieur le Professeur, pour un entretien d'affaires et non pour discuter de mon nom. » dis-je avec toute la dignité dont j'étais capable.

« Mon Dieu, vous me semblez bien susceptible, Monsieur Jones. Vos nerfs sont terriblement tendus. Il nous faut avancer prudemment en traitant avec vous, Monsieur Jones. Asseyez-vous, s'il vous plait, et détendez-vous. J'ai lu votre petite brochure sur la mise en culture de la péninsule du Sinaï. L'avez-vous écrite vous-même ? »

« Évidemment, Monsieur. Elle est signée de mon nom. »

« Certes ! Certes ! Mais ça n'est pas toujours une preuve, n'est-ce pas ? Je suis prêt cependant à accepter votre affirmation. L'ouvrage ne manque pas d'un certain mérite. Derrière la platitude du style on devine de temps en temps une idée.

(**doctor, judge, professor**, etc.).

10. **to muster** : *rassembler* (ses troupes, un troupeau, son courage).

11. **to compose oneself** : *se calmer ; se recueillir.* **To retain/ regain one's composure**, *conserver/retrouver son sang-froid.*

12. **to reclaim land** : *rendre un terrain propre à la culture, en asséchant, défrichant ou amendant.*

13. m. à m. : *il ne s'ensuit pas toujours.*

14. **dullness** : *monotonie.* De **dull**, *morne, monotone, peu brillant, ennuyeux,* (temps) *sombre.* **Diction** est un faux ami qui désigne le style, le choix des mots. Le français diction se dit **delivery, elocution.**

There are germs of thought here and there. Are you a married man ?'

'No, sir. I am not.'

'Then there is some chance of your keeping[1] a secret.'

'If I promised to do so, I would certainly keep my promise[2].'

'So you say[3]. My young friend, Malone' – he spoke as if Ted were ten years of age – 'has a good opinion of you. He says that I may trust you. This trust is a very great one, for I am engaged just now in one of the greatest experiments – I may even say *the* greatest experiment – in the history of the world. I ask for your participation.'

'I shall be honoured.'

'It is indeed an honour[4]. I will[5] admit that I should have shared my labours with no one were it not that[6] the gigantic nature of the undertaking calls for the highest technical skill. Now, Mr. Jones, having obtained your promise of inviolable secrecy, I come down to the essential point. It is this[7] – that the world upon which we live is itself a living organism[8] endowed, as I believe, with a circulation, a respiration, and a nervous system of its own.'

Clearly the man was a lunatic.

'Your brain, I observe,' he continued, 'fails to register[9]. But it will gradually absorb the idea. You will recall[10] how a moor or heath resembles the hairy side of a giant animal. A certain analogy runs through all nature[11]. You will then consider the secular rise and fall of land, which indicates the slow respiration of the crature.

---

1. **your keeping** : nom verbal, formé en ajoutant **-ing** à un verbe ; « Le fait pour vous de garder. »
2. **promise**. Attention à la prononciation ['promis].
3. prise en compte d'une affirmation, souvent avec un doute. Peut aller jusqu'à « c'est vous qui le dites ».
4. **honour** : un des rares mots anglais où le « h » initial n'est pas prononcé. Idem pour ses dérivés **honest, honorary**, etc. Autres exemples : **hour, hourly** : *heure, horaire* ; **heir, heiress** : *héritier, héritière.*
5. **will** : est ici employé comme verbe (vouloir) plutôt que comme auxiliaire du future : *je veux bien, je suis prêt à admettre que...*
6. m. à m. : *n'était que, si ce n'était que... exige...*

Il y a des embryons de pensée ça et là. Êtes-vous marié ? »

« Non Monsieur, je ne le suis pas. »

« Il y a donc quelque chance que vous gardiez un secret. »

« Si j'en faisais la promesse, je la tiendrais certainement. »

« Mon jeune ami Malone », – il parlait comme si Ted n'avait que dix ans – « a bonne opinion de vous – il dit que je peux me fier à vous. C'est vous faire une très grande confiance, car je suis actuellement engagé dans une des plus grandes expériences – je puis même dire la plus grande expérience – de l'histoire du monde. Je vous demande d'y participer. »

« J'en serai honoré. »

« C'est en effet un honneur. Je dois admettre que je n'aurais associé personne à mes travaux, si la nature gigantesque de l'entreprise n'exigeait pas une compétence technique du plus haut niveau. Maintenant, M. Jones, ayant obtenu votre promesse de secret absolu, j'en viens au point essentiel. Le voici : la terre sur laquelle nous vivons est elle-même un organisme vivant, doté, je le crois, de systèmes circulatoire, respiratoire et nerveux qui lui sont propres. »

L'homme était évidemment fou.

« Votre cerveau, je le constate », continua-t-il, ne réalise pas. Mais il assimilera graduellement cette idée. Voyez donc comme une lande ou une bruyère ressemble au flanc velu d'un animal géant. Une certaine analogie parcourt toute la nature. Méditez ensuite sur l'élévation et l'affaissement du relief au cours des siècles, qui révèle la lente respiration de la créature.

---

7. **this** : *en général,* comme ici **this** annonce ce qui va suivre, alors que **that** renvoie à ce qui précède.
8. **organism** : ce mot ne peut s'employer que pour les organismes au sens vivant, biologique du terme. Au sens d'organisation, institution, etc., utiliser **organization**, ou **body**.
9. **to register** : *1) enregistrer* (officiellement), *inscrire, s'inscrire ; 2) réaliser, comprendre.* **To fail** : peut signifier *échouer*, mais indique souvent simplement que quelque chose ne se produit pas. **She failed to appear**, *elle ne se montra pas.*
10. **you will recall** : m. à m. : *vous vous souviendrez.* Autre traduction : *souvenez-vous, etc.*
11. **nature** : *notez l'absence d'article. La nature nous montre que...*, **nature shows us that**.

Finally, you will note the fidgetings[1] and scratchings which appear to our Lilliputian perceptions as earthquakes and convulsions.'

'What about[2] volcanoes ?' I asked.

'Tut, tut ! They correspond to the heat spots upon our own bodies.'

My brain whirled as I tried to find some answer to these monstrous contentions[3].

'The temperature !' I cried. 'Is it not a fact that it rises rapidly as one descends, and that the centre of the earth is liquid heat[4] ?'

He waved[5] my assertion aside.

'You are probably aware, sir, since Council schools[6] are now compulsory, that the earth is flattened at the poles. This means that the pole is nearer to the centre than any other point and would therefore be most affected[7] by this heat of which you spoke[8]. It is notorious, of course, that the conditions of the poles are tropical, is it not ?'

'The whole idea is utterly new to me.'

'Of course it is. It is the privilege of the original thinker to put forward ideas which are new and usually unwelcome[9] to the common clay[10]. Now, sir, what is this ?' He held up[11] a small object which he had picked from the table.

'I should say it is a sea-urchin.'

'Exactly !' he cried, with an air of exaggerated surprise, as when as infant[12] has done something clever. 'It is a sea-urchin – a common echinus. Nature repeats itself in many forms regardless of the size.

---

1. **to fidget** : *s'agiter, remuer, gigoter, donner des signes d'impatience.* **Stop fidgeting**, *tiens-toi tranquille, arrête de bouger.*
2. m. à m. : *et quoi à propos de, qu'en est-il de.*
3. **contention** : *1) assertion, affirmation* (sans preuve) ; *2) contestation, dispute.*
4. **liquid heat** : m. à m. : *chaleur liquide.*
5. **to wave** : *onduler, ondoyer ; flotter* (au vent) ; *agiter* (les bras, un drapeau) ; **to wave aside** : *écarter/éloigner/rejeter d'un geste.*
6. **council schools** : *l'équivalent de notre école publique* (correspond surtout, dans l'Angleterre de l'époque à l'école pri-

Vous noterez enfin qu'elle se trémousse et se gratte, ce que notre perception de lilliputiens traduit en tremblements de terre et convulsions. »

« Et les volcans ? » demandais-je.

« Ah Ah ! Ce sont les boutons de chaleur sur notre propre corps. »

Les pensées tourbillonnaient dans ma tête comme j'essayai de répondre à ces monstrueuses élucubrations. « La température ! » m'écriai-je. « N'est-ce pas un fait qu'elle augmente rapidement à mesure que l'on descend, et que le centre de la terre est en fusion ? »

Il balaya mon objection.

« Vous n'ignorez probablement pas, Monsieur, maintenant que l'enseignement primaire est obligatoire, que la terre est aplatie aux pôles. Ce qui signifie que le pôle est plus proche du centre que tout autre point, et serait par conséquent plus affecté par cette chaleur dont vous parlez. Il est patent, bien sûr, que le climat pôlaire est tropical, n'est-ce pas ? »

« Toute cette approche est entièrement nouvelle pour moi. »

« Bien sûr. C'est le privilège du penseur original que d'avancer des idées nouvelles et souvent rejetées par le commun. Tenez, Monsieur, qu'est-ce que ceci ? » Il montrait un petit objet qu'il avait pris sur la table.

« Je dirais que c'est un oursin. »

« Exactement ! » s'écria-t-il, avec une expression de surprise excessive, comme lorsqu'un petit enfant a fait quelque chose de brillant. « C'est un oursin – un echinus commun. La nature se répète sous de nombreuses formes quelle qu'en soit la taille.

---

maire) *et financée par les* **Local Councils** (municipalités).

7. m.à m. : *des plus affectés, affecté au plus haut point.*

8. m. à m. : *dont vous avez parlé* **(to speak, spoke, spoken).**

9. **unwelcome** : *fâcheux, importun, mal accueilli, qui n'est pas le bienvenu.*

10. **common clay** : m. à m. : *l'argile commun, le commun des mortels, le vulgum pecus.*

11. **to holp up** : ici *lever à hauteur suffisante pour le faire voir.* Autre sens : *1) arrêter, bloquer, retarder* (la circulation) ; *2) faire un hold-up.*

12. **infant** : *enfant en bas âge, nourrisson, bébé.*

This echinus is a model, a prototype, of the world. You perceive that it is roughly circular, but flattened at the poles. Let us then regard the world as a huge echinus. What are your objections ?'

My chief objection was that the thing was too absurd for argument, but I did not dare to say so. I fished around for[1] some less sweeping[2] assertion.

'A living creature needs food', I said. 'Where could the world sustain[3] its huge bulk ?'

'An excellent point[4] – excellent !' said the Professor, with a huge air of patronage[5]. 'You have a quick eye for the obvious, though you are slow in realizing the more subtle[6] implications. How does the world get nourishment ? Again we turn to our little friend the echinus. The water which surrounds it flows through the tubes of this small creature and provides its nutrition.'

'Then you think that the water...'

'No, sir. The ether. The earth browses[7] upon a circular path[8] in the fields of space, and as it moves the ether is continually pouring through it and providing its vitality. Quite a flock[9] of other little world-echini are doing the same thing, Venus, Mars[10], and the rest, each with its own field for grazing.'

The man was clearly mad[11], but there was no arguing with him. He accepted my silence as agreement and smiled at me in most beneficent fashion.

'We are coming on, I perceive,' said he. 'Light is beginning to break in[12].

---

1. **to fish for something** : *pêcher, essayer de prendre.* **To fish for trout**, *pêcher la truite.* **Around** renforce l'idée de recherche.
2. **sweeping** : cf. **a sweeping statement**, *une généralisation hâtive, qui fait table rase de/balaie* (**to sweep**) *toutes les objections.*
3. **to sustain** : *1) subir, éprouver, essuyer ; 2) nourrir, soutenir, maintenir.*
4. **point** : argument. **To have a point**, *avoir un bon argument.* **To make a point**, *faire une remarque pertinente.* **I take your point**, *je vois de ce vous voulez dire.*
5. **patronage** : *appui, patronage, mécénat.* **patron** : *1) protecteur ; 2) client (hôtel, restauration).*
6. **subtle** : attention à la prononciation [sʌtl]. Le « b » n'est pas

Cet oursin est un modèle, un prototype du monde. Vous voyez qu'il est à peu près circulaire, mais aplati aux pôles. Considérons donc le monde comme un oursin géant. Quelles sont vos objections ? »

Ma principale objection était que l'idée était trop absurde pour être discutée, mais je n'osais pas le dire. Je cherchai un argument moins radical.

« Une créature vivante a besoin de se nourrir », dis-je. « Où la terre trouverait-elle de quoi sustenter son énorme masse ? »

« Excellente question – excellente ! » déclara le Professeur, d'un air fort condescendant. « Vous percevez rapidement les évidences, bien que vous soyez lent à réaliser les implications plus subtiles. Comment le monde se nourrit-il ? Tournons-nous à nouveau vers notre petit ami l'oursin. L'eau qui l'entoure pénètre dans les *tubes* de ce petit animal et fournit sa nourriture. »

« Alors vous pensez que l'eau... »

« Non monsieur. L'éther. La terre parcourt un chemin circulaire dans le champ de l'espace, et à mesure qu'elle avance, l'éther se déverse en elle et lui fournit sa vitalité. Tout un troupeau d'autres petits-mondes-oursins fait la même chose, Vénus, Mars et le reste, chacun pâturant dans sa propre prairie. »

L'homme était évidemment dément, mais il n'était pas question de discuter – il prit mon silence pour un acquescement et me sourit de la façon la plus bienveillante.

« Nous progressons, je crois » dit-il – « La lumière commence à se faire. »

---

prononcé.

7. **to browse** : *1) brouter, paître* (ici) *2) feuilleter des livres, parcourir des listes, des documents ; 3) faire du lèche-vitrines.*

8. **path** : *sentier, chemin, voie, allée ; itinéraire.*

9. **flock** : *troupe, foule, troupeau* d'oies, de moutons. *Troupeau de bovins* : **herd**.

10. **Mars** : attention à la prononciation [ma:z].

11. **mad** est utilisé ici comme synonyme de **lunatic. Mad** dans d'autres contextes aura souvent le sens de *fou furieux* (**with anger**, *fou de colère*) ou de *fou de* (**he is mad about football**).

12. **to break** : *pour une lumière, le jour, l'aurore, poindre, se lever* (cf. **at break of day, at daybreak**, *au lever du jour, à l'aube*). **In** indique ici que cette lumière pénètre dans le cerveau.

A little dazzling at first, no doubt, but we will soon[1] get used to it. Pray give me your attention while I found[2] one or two more observations upon this little creature in my hand.

'We will suppose that on this outer hard rind[3] there were certain infinitely small insects which crawled upon the surface. Would the echinus ever[4] be aware of their existence ?'

'I should say not[5].'

'You can well imagine then, that the earth has not the least idea of the way in which it is utilized by the human race. It is quite unaware of this fungus growth[6] of vegetation and evolution of tiny animalcules which has collected[7] upon it during its travels round the sun as barnacles[8] gather upon the ancient vessel. That is the present state of affairs, and that is what I propose to alter.'

I stared in amazement. 'You propose to alter it ?'

'I propose to let the earth know that there is at least one person, George Edward Challenger, who calls for attention – who, indeed, insists upon attention. It is certainly the first intimation[9] it has ever had of the sort.'

'And how, sir, will you do this ?'

'Ah, there we get down to business[10]. You touched the spot[11]. I will again call your attention to this interesting little creature which I hold in my hand. It is all nerves and sensibility[12] beneath that protective crust. Is it not evident that if a parasitic animalcule desired to call its attention it would sink a hole in its shell and so stimulate its sensory apparatus ?'

---

1. **Pray** : *(archaïque) je vous (en) prie.*
2. **to found** *fonder, baser.* Ne pas confondre avec le prétérite du verbe irrégulier **to find, found, found**, *trouver.*
3. **rind** : *écorce, peau* d'arbre, etc., *pelure, croûte de fromage.*
4. **ever** : *jamais.* Utilisé dans des phrases négatives ou interrogatives, ou dans des affirmations soumises à une condition : **The best father that ever was**, *le meilleur père qu'il y ait jamais eu (pu avoir).*
5. **I should say not : I should say that he would not.**
6. **fungus** : *champignon en général vénéneux ou parasite, peut aussi désigner des moisissures ;* champignon : **mushroom**.
7. **to collect** : *1) s'assembler, (se) rassembler, (se) réunir, (s')amasser ; 2) recueillir, ramasser, percevoir, recouvrer ; 3) col-*

C'est un peu éblouissant au début, sans doute, mais on va vite s'y habituer. Accordez-moi votre attention tandis que je fonde une ou deux observations supplémentaires sur cette petite créature que j'ai à la main.

Supposons que sur cette écorce extérieure rigide il y ait certains insectes infiniment petits qui ramperaient à sa surface. Est-ce que l'oursin serait le moins du monde conscient de leur existence ? »

« Je dirais que non. »

« Vous pouvez donc bien imaginer que la terre n'a pas la moindre idée de la façon dont elle est utilisée par l'espèce humaine. Elle n'a aucune conscience de ces excroissances fongueuses ni de l'évolution de ces minuscules animalcules qui se sont amassés sur elle au cours de sa ronde autour du soleil comme les bernacles se fixent sur la coque des vieux navires. Telle est la situation actuelle, et c'est ce que je me propose de modifier. »

Je le fixai avec ahurissement. « Vous vous proposez de la modifier ? »

« J'ai l'intention de faire savoir à la terre qu'il existe au moins une personne, George Edward Challenger, qui réclame son attention – qui, en vérité, exige son attention. C'est certainement le premier signe de ce genre qu'elle ait jamais reçu. »

« Et comment, Monsieur,accomplirez-vous ceci ? »

« Oh ! nous en venons à notre affaire. »

Vous mettez le doigt dessus. J'attire à nouveau votre attention sur l'intéressante petite créature que je tiens à la main. Tout est nerfs et sensibilité sous sa croûte protectrice. N'est-il pas évident que si un animalcule parasite voulait attirer son attention il percerait un trou dans sa carapace et simulerait ainsi son appareil sensoriel ? »

---

lectionner.

8. **barnacle** : *bernache, bernacle, anatife,* crustacé qui se fixe sur la coque des anvires.

9. **intimation** : *avis, suggestion, indication, signe, prémonition.*

10. **To get down to business** : *en venir aux affaires sérieuses,* signifie aussi *se mettre au travail, s'attaquer à l'affaire qui vous concerne.*

11. **to touch the spot** : *mettre le doigt sur le point important. (Signifie aussi aller à la racine du mal).*

12. Attention. Si **sensibility** signifie bien la même chose que le français sensibilité, il n'en va pas de même de l'adjectif **sensible**, qui veut dire *raisonnable, de bon sens.* Le français sensible se dit **sensitive**.

'Certainly'.

'Or, again, we will take the case of the homely flea or a mosquito which explores the surface of the human body. We may be unaware of its presence. But presently[1], when it sinks its proboscis through the skin, which is our crust, we are disagreeably reminded[2] that we are not altogether alone. My plans now will no doubt begin to dawn upon[3] you. Light breaks in the darkness.'

'Good heavens ![4] You propose to sink[5] a shaft through the earth's crust[6] ?'

He closed his eyes with ineffable complacency[7].

'You see before you,' he said, 'the first who will ever pierce that horny hide[8]. I may even put it in the present tense and say who *has* pierced it[9].'

'You have done it !'

'With the very efficient aid of Morden and Co., I think I may say that I have done it. Several years of constant work which has been carried on night and day, and conducted by every known species of drill, borer, crusher, and explosive, has[10] at last brought us to our goal.'

'You don't mean to say you are through the crust !'

'If your expressions denote bewilderment[11] they may pass. If they denote incredulity –'

'No, sir, nothing of the kind.'

'You will accept my statement without question. We are through the crust. It was exactly fourteen thousand four hundred and forty-two yards thick[12], or roughly eight miles[13].

---

1. **presently** : en anglais britannique, signifie *bientôt*. En américain, veut dire *actuellement*. Pour traduire ce mot il vaut mieux utiliser **currently, now**.
2. **to remind** : *rappeler (quelque chose à quelqu'un)*. **To be reminded**, *se voir rappeler quelque chose.*
3. **to dawn** : *poindre, commencer à paraître ; venir à l'esprit.* Du nom correspondant, **dawn**, *aube, aurore.*
4. **good heavens : heaven** signifie *ciel, paradis.* **Good** remplace ici **God**, dont le nom ne devait pas être prononcé (cf. le français parbleu, etc.).
5. **to sink, sank, sunk** : *1) sombrer, couler ; s'abaisser, s'affaisser ; 2) creuser, percer, forer ; enfoncer.*
6. **complacency** : *contentement (de soi-même), auto-satisfaction.*
7. **the earth's crust** : cas possessif justifié car la terre est per-

« Certainement ».

Ou encore, nous prendrons l'exemple de la puce commune ou d'un moustique qui explore la surface du corps humain. Nous pouvons être inconscients de sa présence. Mais bientôt, quand il enfonce son dard dans notre peau, qui constitue notre écorce, nous découvrons avec déplaisir que nous ne sommes pas entièrement seul. Mes plans doivent commencer à être clairs pour vous. La lumière se fait. »

« Grands dieux ! Vous envisagez de creuser un puits dans l'écorce terrestre ? »

Il ferma les yeux avec une ineffable satisfaction.

« Vous avez devant vous », dit-il « celui qui le premier percera ce cuir rugueux. Je puis même le dire au présent, le premier qui l'a percé. »

« Vous l'avez fait ! »

« Avec l'aide très efficace de la Société Morden, je pense pouvoir dire que je l'ai fait. Plusieurs années de labeur continu assuré nuit et jour, et effectué avec toutes les variétés connues de sonde, de foreuse, de broyeur et d'explosifs, nous ont finalement amenées à notre but. »

« Vous ne voulez pas dire que vous avez traversé l'écorce ! »

« Si vous exprimez de l'ahurissement, passons. Mais si c'est de l'incrédulité… »

« Non Monsieur, rien de tel. »

« Acceptez donc mon affirmation sans discussion. Nous avons traversé la croûte. Elle mesurait exactement quatre mille quatre cent quarante deux yards, soit à peu près huit milles.

---

sonnifiée.

8. **horny** : corné, calleux. **Hide** : *peau, dépouille (d'un animal) ; cuir ; (fam.)* **to save one's hide**, *sauver sa peau.*

9. N'en déplaise au professeur Challenger et à Conan Doyle, il s'agit d'un présent-perfect (passé composé) et nom d'un présent. Il est vrai qu'en anglais le présent-perfect est un temps du présent…

10. **has** : le sujet est en fait pluriel **(several years of constant work)**, mais l'accord se fait sur le sens, ou sur **work**.

11. **bewilderment** : bien qu'apparenté à **wild** [waild], ce mot est prononcé [bi'wildərmənt].

12. **to be… thick** : *être épais de…* cf. **to be… old**, *être âgé de…* **1 yard** : *0,914 m.*

13. **mile** : *1609 mètres.* **8 miles** : *environ 13 km.*

In the course of our sinking it may interest you to know that we have exposed[1] a fortune in the matter of coal-beds which would probably in the long run defray the cost of the enterprise. Our chief difficulty has been the springs of water in the lower chalk and Hastings sands, but these we have overcome[2]. The last stage has now been reached – and the last stage is none other than Mr. Peerless Jones. You, sir, represent the mosquito. Your Artesian borer takes the place of the stinging[3] proboscis. The brain has done its work. Exit[4] the thinker. Enter[5] the mechanical one, the peerless[6] one, with his rod of metal. Do I make myself clear ?'

'You talk of eight miles !' I cried. 'Are you aware, sir, that five thousand feet[7] is considered nearly the limit for Artesian borings ? I am acquainted with one in upper Silesia which is six thousand two hundred feet deep[8], but it is looked upon as a wonder[9].'

'You misunderstand me, Mr. Peerless. Either my explanation or your brain is at fault, and I will not insist upon which[10]. I am well aware of the limits of Artesian borings, and it is not likely that I would have spent millions of pounds upon my colossal tunnel if a six-inch[11] boring would have met my needs[12]. All that I ask you is to have a drill ready which shall be as sharp as possible, not more than a hundred feet in length, and operated by an electric motor. An ordinary percussion drill driven home[13] by a weight will meet every requirement.'

'Why by an electric motor ?'

'I am here, Mr. Jones, to give orders, not reasons.

---

1. **to expose** : *mettre à nu, à jour, révéler, dévoiler, étaler, démasquer, dénoncer.* Pour le français « exposer » au sens de présenter, traduire par **to outline, to state, to present**.
2. **to overcome** : *triompher de, vaincre, surmonter.*
3. **to sting, stung, stung** : *1) piquer ; 2) (douleur) produite par élancement, cuire.*
4. **exit** : c'est la formule utilisée dans les pièces de théâtre pour indiquer la sortie d'un personnage.
5. **enter** : symétrique de exit. Indique l'entrée d'un acteur. Il s'agit d'un impératif « que X… entre ».
6. **peerless** : Challenger se moque du prénom de son interlo-

« Il vous intéressera de savoir qu'aux cours de notre forage nous avons mis à jour une fortune sous la forme de gisements de houille, ce qui à terme couvrirait probablement les frais de l'entreprise. Notre principale difficulté a été les sources d'eau dans les couches inférieures de craie et de sable de Hastings, mais nous l'avons surmontée. La dernière étape a maintenant été atteinte, et cette dernière étape n'est autre que Monsieur Peerless Jones. Vous, Monsieur, jouez le rôle du moustique. Votre forêt artésien remplace la piqûre du dard. Le cerveau a joué son rôle. Le penseur s'éclipse. Entre en scène le mécanicien, l'incomparable, avec sa tige de métal. Me fais-je bien comprendre ? »

« Vous parlez de huit milles ! » m'écriai-je. » Savez-vous, Monsieur, que cinq mille pieds sont considérés comme à peu près la limite des forages artésiens. Je sais qu'il en existe un de six mille deux cents pieds en Haute Silésie, mais il est considéré comme une exception. »

« Vous m'avez mal compris, M. Peerless. Ce sont mes explications, ou votre compréhension, qu'il faut blâmer. Mais n'insistons pas. Je suis très au fait des limites des forages artésiens, et il est peu probable que j'aurais dépensé des millions de livres pour mon tunnel géant si un puits de six pouces avait fait l'affaire. Tout ce que je vous demande, c'est de tenir prêt un trépan qui devra être aussi pointu que possible, ne dépassant pas cent pieds et mû par un moteur électrique. Un simple trépan à percussion actionnée par un poids conviendra parfaitement. »

« Pourquoi un moteur électrique ? »

« Je suis ici, Monsieur Jones, pour donner des ordres, non des raisons. »

---

cuteur Peerless Jones.

7. **1 foot** : *30,48 cm.* **5,000 feet** : *environ 1500 mètres.*

8. **6,200 feet** : *environ 1900 mètres.* **Deep** : *profond.* **To be... deep** : *être profond de...*

9. **a wonder** : *une merveille, un miracle, un prodige.*

10. m. à m. : *Je n'insisterai pas sur lequel.*

11. **1 inch** : *1 pouce* : *2,54 cm.* **six inches** : *environ 15 cm.*

12. **would have met my needs** : *aurait répondu à mes besoins.*

13. **to drive home** : *enfoncer à fond, faire atteindre sa cible, son but, son objectif.* Autre sens : **to drive something, home to someone**, *bien faire comprendre quelque chose à quelqu'un.*

Before we finish it may happen – it *may*, I say, happen – that your very life may depend upon this drill being started[1] from a distance by electricity. It can, I presume, be done ?'

'Certainly it can be done.'

'Then prepare to do it. The matter is not yet ready for your actual[2] presence, but your preparations may now be made. I have nothing more to say.'

'But it is essential,' I expostulated[3], 'that you should let me know[4] what soil the drill is to penetrate. Sand, or clay, or chalk would each need[5] different treatment.'

'Let us say jelly,' said Challenger. 'Yes, we will for the present suppose that you have to sink your drill into jelly. And now, Mr. Jones, I have matters of some importance to engage my mind, so I will wish you good morning[6]. You can draw up[7] a formal contract with mention of your charges[8] for my Head of Works.'

I bowed and turned, but before I reached the door my curiosity overcame me. He was already writing furiously with a quill pen[9] screeching over the paper, and he looked up angrily at my interruption.

'Well, sir, what now ? I had hoped you were gone.'

'I only wished to ask you, sir, what the object of so extraordinary an experiment[10] can be ?'

'Away, sir, away !' he cried angrily. 'Raise your mind above the base mercantile and utilitarian needs of commerce. Shake off[11] your paltry[12] standards of business[13]. Science seeks knowledge. Let the knowledge lead us where it will, we still must seek it[14].

---

1. **upon this drill being started**, m. à m. : *du fait que ce trépan soit commandé...*

2. **actual** : *vrai, authentique.* Le français actuel se traduit par **current**, **present**.

3. **to expostulate** : *faire des reproches, des remontrances.* **(With someone on something)**.

4. m. à m. : *que vous me fassiez savoir.*

5. **need** : *avoir besoin.* Considéré comme verbe irrégulier à la forme affirmative (**he needs to see her**, *il a besoin de la voir*), défectif ou modal (comme **can, must**) à la forme négative (**he need not see her**, *il n'a pas besoin de la voir*).

6. Le français, qui peut souhaiter un(e) bon(ne) après-midi, uti-

« Avant que nous en finissions, il se peut – je dis bien il se peut – que votre vie dépende de la possibilité de commande électrique à distance du foret. C'est, j'imagine faisable ? »

« Bien entendu. »

« Alors préparez-vous à le faire. Nous ne sommes pas encore prêt pour votre présence effective, mais vous pouvez commencer vos préparatifs. Je n'ai rien à ajouter. »

« Mais il est essentiel », protestai-je, « que vous m'informiez de la nature du terrain que le trépan devra pénétrer. Sable, ou argile, ou calcaire impliquent chacun un traitement différent. »

« Disons que c'est de la gelée » répondit Challenger. Oui. Nous supposerons pour l'instant que vous devriez plonger votre trépan dans de la gelée. Et maintenant, Monsieur Jones, je dois consacrer mon esprit à des sujets de grande importance, et je vous souhaite donc une bonne journée. Vous pouvez établir un contrat officiel mentionnant vos émoluments pour mon Directeur des Travaux. »

Je m'inclinai et me détournai, mais avant que j'aie atteint la porte ma curiosité l'emporta. Il écrivait déjà furieusement avec une plume qui crissait sur le papier, et il leva sur moi un regard courroucé par mon interruption.

« Eh bien Monsieur, qu'est-ce donc ? J'espérais que vous étiez parti. »

« Je souhaitais seulement vous demander, Monsieur, quel pouvait être l'objet d'une expérience si extraordinaire ? »

« Hors d'ici, Monsieur, hors d'ici ! » s'écria-t-il avec colère. Élevez votre esprit au-dessus des besoins bassement mercantiles et utilitaristes du commerce. Débarrassez-vous de vos dérisoires normes de rentabilité. La science recherche la connaissance. Où que nous mène la quête de la connaissance, nous devons la poursuivre. »

---

lise rarement la « bonne matinée ».

7. **to draw up** : *rédiger* (un document, un contrat).

8. **charge** : *frais, somme à payer, prix.* **To charge** : *faire payer.*

9. **quill pen** : *plume d'oie (pour écrire).*

10. Notez la place de **so** devant l'adjectif. Synonyme : **such an extraordinary experiment**.

11. **to shake off**, m. à m. : *éliminer en secourant.* D'où *s'affranchir de, se défaire de, se départir de.*

12. **paltry** : *misérable, mesquin, minable.*

13. **standards of business** : *normes professionnelles, principes des affaires.*

14. **to seek, sought, sought**, *chercher, rechercher.*

To know once for all what we are, why we are, where we are, is that not in itself the greatest of all human aspirations ? Away, sir, away !'

His great black beard was bowed[1] over his papers once more and blended[2] with his head. The quill pen screeched more shrilly[3] than ever. So I left him, this extraordinary man, with my head in a whirl[4] at the thought of the strange business in which I now found myself to be his partner.

When I got back to my office I found Ted Malone waiting with a broad grin upon his face[5] to know the result of my interview.

'Well !' he cried. 'None the worse[6] No case[7] of assault and battery ? You must have handled him very tactfully. What do you think of the old boy[8] ?'

'The most aggravating[9], insolent, intolerant, self-opinionated man I have ever met, but –'

'Exactly !' cried Malone. 'We all come to that "but". Of course, he is all you say and a lot more, but one feels that so big a man is not to be measured in our scale, and that we can endure from him what we would not stand from any other living mortal. Is that[10] not so ?'

'Well, I don't know him well enough yet to say, but I will admit that if he is not a mere[11] bullying[12] megalomaniac, and if what he says is true, then he certainly is in a class by himself[13]. But *is* it true ?'

'Of course it is true. Challenger always delivers the goods[14]. Now, where are you exactly in the matter ? Has he told you about Hengist Down ?'

---

1. **to bow** [bau] : *s'incliner, saluer.* **To bow to someone, something**, *s'incliner devant, se soumettre à.*
2. **to blend** : *(se) mêler, (se) mélanger.* **A blend**, *un mélange.*
3. **shrilly** adv., de l'adjectif **shrill** : *aigu, strident, perçant, criard.*
4. **whirl** : *tourbillon.*
5. m. à m. : *un large sourire sur son visage.* **grin** : *1) grimace, rictus ; 2) large sourire.* Ce mot peut donc selon les cas désigner un sourire forcé ou épanoui.
6. raccourci pour **you are none the worse for it ?** m. à m. : *vous n'en êtes pas plus mal pour autant ?* Cf. **He escaped none the worse**, *il s'en est tiré sans mal.*
7. **case** : *cas, mais aussi affaire (judiciaire), procès.* Prononciation [keis]. Son « s » et non « z ».

Savoir une fois pour toutes ce que nous sommes, pourquoi nous existons, où nous existons, n'est-ce pas là la plus profonde des aspirations humaines ? Partez, monsieur, partez. »

Sa grande barbe noire se penchait à nouveau sur ses papiers et se confondait avec sa tête. Sa plume grinçait plus que jamais. Ainsi le quittai-je, cet homme extraordinaire, saisi de vertige à l'idée de l'étrange entreprise dans laquelle je me trouvais maintenant son associé.

En revenant à mon bureau, j'y trouvai Ted Malone qui m'attendait, avec un sourire narquois, pour connaître le résultat de mon entrevue.

« Eh bien » s'écria-t-il. « Rien de cassé ? Pas de coups et blessures ? Tu as dû le manœuvrer avec beaucoup de tact. Que penses-tu du vieux bonhomme ? »

« C'est l'homme le plus irritant, insolant, intolérant, entêté que j'aie jamais rencontré, mais… »

« Exactement », répondit Malone. « On en vient tous à ce « mais ». Bien sûr, il est tout ce que tu dis et pire encore, mais on a le sentiment qu'un homme de sa stature ne peut être mesuré selon notre échelle, et que nous pouvons accepter de lui ce que nous ne tolérerions pas d'un autre mortel. N'est-ce pas vrai ? »

« Eh bien, je ne le connais pas encore suffisamment pour le dire, mais j'admets que ce n'est pas qu'une brute mégalomaniaque, et si ce qu'il dit est vrai, c'est certainement un être d'exception. Mais est-ce bien vrai ? »

« Bien sûr que c'est vrai. Challenger ne trompe jamais son monde. Mais dis-moi, quel est ton rôle exact dans l'affaire ? T'a-t-il parlé de Hengist Down ? »

---

8. **old boy** : *familier et affectueux.* C'est aussi le terme employé pour un ancien d'une école ou université.
9. **to aggravate** : *1) aggraver ; 2) exaspérer.*
10. **Is that not so**, m. à m. : *N'en est-il pas ainsi ?*
11. **mere** : *simple, pur, seul.* Souvent traduit par « **que** ». **It's a mere accident**, *ce n'est qu'un accident.*
12. **to bully** : *brutaliser, maltraiter, malmener, intimider.* **A bully** *est un bravache, un fier-à-bras, ou souvent un grand qui tyranise les petits.*
13. **in a class by himself** : *dans une classe qui n'appartient qu'à lui.* **By himself** : tout seul.
14. **to deliver the goods** : premier sens, *livrer les marchandises.* En langue familière, *faire ce qu'on a promis, honorer ses promesses.*

'Yes, in a sketchy[1] sort of way.'

'Well, you may take it from me[2] that the whole thing is colossal – colossal in conception and colossal in execution. He hates pressmen, but I am in his confidence, for he knows that I will publish no more than he authorizes. Therefore I have his plans, or some of his plans. He is such a deep old bird[3] that one never is sure if one has really touched bottom[4]. Anyhow, I know enough to assure you that Hengist Down is a practical proposition[5] and nearly completed. My advice[6] to you now is simply to await events, and meanwhile[7] to get your gear all ready. You'll hear soon enough[8] either from him or from me.'

As it happened, it was from Malone himself that I heard. He came round quite early to my office some weeks later, as the bearer of a message.

'I've come from Challenger,' said he.

'You are like the pilot fish to[9] the shark.'

'I'm proud to be anything to him. He really is a wonder. He has done it all right[10]. It's your turn now, and then he is ready to ring up the curtain[11].'

'Well, I can't believe it till I see it, but I have everything ready and loaded on a lorry. I could start it off at any moment.'

'Then do so at once, I've given you a tremendous character[12] for energy and punctuality, so mind you don't let me down[13]. In the meantime, come down[14] with me by rail and I will give you an idea of what has to be done.'

---

1. **sketchy** : *imprécis, incomplet, non détaillé, vague.* De **sketch** : *croquis.*
2. **you may take it from me** : formule fréquente, au sens de *vous pouvez me croire.*
3. **deep old bird : deep**, *profond* prend le sens de *rusé.* **Bird**, comme le français *oiseau*, s'emploie pour désigner un individu un peu bizarre.
4. **to touch bottom** : *atteindre le fond, aller au fond des choses.* Le terme s'emploie aussi pour les forages, d'où jeu de mots probable.
5. **practical proposition : practical** signifie *pratique* au sens de qui peut se réaliser, *concret.* **proposition** : *proposition, entreprise (réalisable).*
6. **advice** : *conseil(s).* Ce mot n'a pas de pluriel. Le verbe est **to advise**, *conseiller.*

« Oui, de façon assez vague ».

« Eh bien, crois-moi sur parole, l'ensemble du projet est colossal – colossal dans sa conception et dans son exécution. Il déteste les journalistes, mais il me fait confiance car il sait que je ne publierai rien de plus que ce qu'il autorise. C'est pourquoi je connais ses plans, ou certains de ses plans. Le vieil oiseau est si rusé qu'on ne sait jamais si on l'a complètement sondé. En tout cas, j'en sais assez pour te dire que Hengist Down est un projet réaliste, et presque réalisé. Je te conseille seulement d'attendre la suite des événements, et de tenir ton matériel tout prêt. Tu auras très bientôt des nouvelles, par lui ou par moi. »

C'est en fait Malone lui-même qui m'en apporta.

Il arriva de fort bonne heure à mon bureau quelques semaines plus tard pour me délivrer un message.

« Je viens de la part de Challenger » dit-il.

« Tu es comme le poisson pilote du requin ».

« Je suis fier d'être quelque chose pour lui. Il est vraiment merveilleux. Il a fait ce qu'il avait dit. C'est à toi de jouer maintenant, ensuite il sera prêt à lever le rideau. »

« Je le croirai quand je le verrai, mais tout mon matériel est prêt et chargé sur un camion. Je pourrais le mettre en marche à tout moment. »

« Alors vas-y. J'ai porté aux nues ton énergie et ta ponctualité, alors ne me fais pas faux bond. En attendant, allons-y ; viens prendre le train avec moi, et je te donnerai une idée de ce qu'il y a à faire. »

---

7. **meanwhile**, *en attendant, entre temps.*
8. **soon enough : enough** se place après adverbe ou adjectif, avant ou après nom (**enough money, money enough**).
9. **...to the shark**, c'est-à-dire *tu es comme le poisson pilote est au/par rapport au requin.*
10. Emploi fréquent de **all right**, en fin de phrase, au sens de *vraiment, effectivement, bien.*
11. **to ring, rang, rung** : *sonner, résonner, retentir.* L'expression vient de ce que, au théâtre, une sonnerie annonce le lever de rideau.
12. **character** : *réputation, personnalité, moralité.* On donnait jadis des **certificates of character**, *certificats de bonne vie et mœurs.* **A character** : *un personnage.*
13. **To let down** : *laisser tomber, « lâcher » quelqu'un.*
14. **come down** : comme on dit en français « descendre » au sens de se rendre dans un lieu.

It was a lovely spring morning – 22nd May, to be exact – when we made that fateful[1] journey which brought me on to a stage[2] which is destined to be historical. On the way Malone handed me a note from Challenger which I was to accept as my instructions.

'Sir' [it ran][3]

'Upon arriving at Hengist Down you will put yourself at the disposal of Mr. Barforth, the Chief Engineer, who is in possession of my plans. My young friend, Malone, the bearer of this, is also in touch with me and may protect me from any personal contact. We have now experienced certain phenomena[4] in the shaft at and below the fourteen thousand-foot level which fully bear out my views as to the nature of a planetary body, but some more sensational proof is needed before I can hope to make an impression upon the torpid[5] intelligence of the modern scientific world. That proof you are destined to afford, and they to witness[6]. As you descend in the lifts you will observe, presuming that you have the rare quality of observation, that you pass in succession the secondary chalk beds, the coal measures[7], some Devonian and Cambrian[8] indications, and finally the granite, through which the greater part of our tunnel is conducted. The bottom is now covered with tarpaulin, which I order you not to tamper with[9], as any clumsy handling[10] of the sensitive[11] inner cuticle of the earth might bring about premature results. At my instruction, two strong beams have been laid[12] across the shaft twenty feet above the bottom, with a space between them.

---

1. **fateful** : *décisif, fatal, fatidique, prophétique.* De **fate** : *le destin, la destinée, le sort.*
2. **stage** : *étape, stade, étage ; scène (de théâtre).*
3. **it ran : to run**, pour un document, un texte, signifie *se dérouler.* Synonyme : **to read**, *se lire, dire (pour un texte).*
4. **phenomena** : pluriel (grec) de **phenomenon**.
5. **torpid** : *engourdi, nonchalant, léthargique, lent, paresseux.*
6. m. à m. : *cette preuve vous êtes destiné à la fournir et eux à en être témoins.*
7. **measure** : *étage géologique.*
8. **Devonian and Cambrian** : *le dévonien,* de Devon, comté

C'est par une belle matinée de printemps – le 22 mai pour être précis – que nous accomplîmes ce voyage décisif, qui me fit monter sur une scène qui devait devenir historique. En chemin Malone me remit une note de Challenger que je devais considérer comme mes instructions.

« Monsieur », (écrivait-il)

« En arrivant à Hengist Down, vous vous mettrez à la disposition de M. Barforth, l'ingénieur en chef, qui est en possession de mes plans. Mon jeune ami, Malone, le porteur de la présente, est également en rapport avec moi et pourra me protéger de tout contact personnel. Nous avons maintenant constaté un certain nombre de phénomènes dans le puits, à la profondeur de quatorze mille pieds et au-dessous, qui confirment totalement mes vues quant à la nature d'un corps planétaire, mais une preuve plus sensationnelle est nécessaire avant que je puisse espérer impressionner l'intelligence léthargique de la communauté scientifique moderne. C'est vous qui êtes destiné à apporter cette preuve dont elle sera témoin. En descendant dans les cages d'ascenseurs, vous observerez, si tant est que vous avez ce don rare de l'observation, que vous franchissez successivement la couche de craie secondaire, l'étage houiller, des éléments de Dévonien et de Cambrien, et finalement le granit, à travers lequel la plus grande partie de notre tunnel est percée. Le fond est maintenant recouvert d'une bâche, à laquelle je vous donne l'ordre de ne pas toucher, car tout contact maladroit avec le fragile épiderme intérieur de la terre risquerait de provoquer des résultats prématurés. Selon mes instructions, deux poutres solides ont été posées en travers du puits à vingt pieds au-dessus du fond, avec un espace entre elles.

---

d'Angleterre où commença l'étude de tels terrains, appartient à la période géologique de l'ère primaire ; *cambrien*, de Cambria, nom latin médiéval du Pays de Galles, première période de l'ère primaire.

9. **to tamper with** : *altérer, falsifier, « tripatouiller ».*

10. **handling** : *maniement, manipulation, façon de traiter, de gérer.*

11. **sensitive** : *sensible, sensitif ; (personne) susceptible.* L'anglais **sensible** signifie *sensé, de bon sens.*

12. **to lay, laid, laid** : *poser* (aussi *pondre*). Ne pas confondre avec **to lie, lay, lain**, *être allongé, étendu, couché, posé.*

This space will act as a clip[1] to hold up your Artesian tube. Fifty feet of drill will suffice, twenty of which will project below the beams, so that the point of the drill comes nearly down to the tarpaulin. As you value your life[2] do not let it go farther. Thirty feet will then project upwards in the shaft[3], and when you have released[4] it we may assume that not less than forty feet of drill will bury[5] itself in the earth's substance. As this substance is very soft I find that you will probably need no driving power, and that simply a release of the tube will suffice by its own weight[6] to drive it into the layer which we have uncovered. These instructions would seem[7] to be sufficient for any ordinary intelligence, but I have[8] little doubt that you will need more, which can be referred to me through our young friend, Malone.

'GEORGE EDWARD CHALLENGER.'

It can be imagined that when we arrived at the station of Storrington, near the northern foot of the South Downs[9], I was in a state of considerable nervous tension. A weatherworn[10] Vauxhall thirty landaulette[11] was awaiting us, and bumped us[12] for six or seven miles over by-paths and lanes which, in spite of their natural seclusion, were deeply rutted and showed every sign of heavy traffic. A broken lorry lying in the grass at one point[13] showed that others had found it rough going[14] as well as we. Once a huge piece of machinery which seemed to be the valves and piston of a hydraulic pump projected itself, all rusted, from a clump[15] of furze.

---

1. **clip** : *attache, pince, collier de serrage.*
2. **As you value your life : as** a ici le sens de *aussi vrai que, dans toute la mesure où.*
3. **upwards in the shaft**, m. à m. : *vers le haut dans le puits.*
4. **to release** [ri'li;s] : *1) libérer, relâcher ; 2) déclancher, démarrer, faire jouer.*
5. **to bury** ['beri] : *enterrer, ensevelir, enfouir.*
6. m. à m. : *simplement une libréation de la colonne suffira par son propre poids.*
7. **would seem**, m. à m. : *sembleraient.* Challenger ne tient visiblement pas en haute estime l'intelligence de Peerless Jones.
8. m. à m. : *qui peut m'être adressé(e).* Le sens est : *ce pourquoi vous pourrez vous adresser à moi par l'intermédiaire de... ou :*

Cet espace jouera le rôle d'un collier pour fixer votre colonne artésienne. Un trépan de 50 pieds suffira, dont 20 au-dessous des poutres, de sorte que sa pointe touchera presque la bâche. Si vous tenez à la vie ne le faites pas aller plus loin. Il y aura trente pieds de trépan au-dessus des poutres et quand vous l'aurez libéré on peut penser qu'au moins quarante pieds en pénétreront dans la substance terrestre. Comme celle-ci est très molle je pense que vous n'aurez pas besoin d'une force motrice, et que le seul poids de la colonne, une fois libérée, suffira à l'enfoncer dans la couche que nous avons dégagée. Ces instructions devraient être suffisantes pour toute intelligence ordinaire, mais je ne doute guère qu'il vous en faille davantage, ce qui peut m'être demandé par l'intermédiaire de notre jeune ami Malone.

« George Edward Challenger »

On comprendra que lorsque nous arrivâmes à la gare de Storrington, près du pied septentrional des South Downs, j'étais dans un état d'extrême tension nerveuse. Une camionnette Vauxhall 30 usagée nous attendait et nous trimballa sur six ou sept miles le long de chemins de traverse et de pistes qui, en dépit de leur situation isolée, étaient creusées de profondes ornières et montraient tous les signes d'une circulation dense. Un camion endommagé abandonné dans l'herbe montrait que d'autres que nous avaient trouvé le passage difficile. À un endroit, une énorme pièce mécanique, apparemment les soupapes et pistons d'une pompe hydraulique, se dressait, toute rouillée, au milieu des genêts.

---

vos questions pourront m'être apportées par…

9. **South Downs** : *région de collines du sud de l'Angleterre.*

10. **weatherworn** : premier sens *rongé/usé par les intempéries.* D'où *délabré.*

11. **landaulette** : *camionnette dont la partie où se trouve le conducteur n'est pas couverte. Ne s'utilise plus.*

12. **to bump** : *1) (se) cogner, (se) heurter ; 2) cahoter.*

13. m. à m. : *à un endroit, ou à un moment.*

14. **rough going** : cf. **the going is getting rough**, *le chemin devient difficile, il devient difficile d'avancer.* De **going**, le fait d'aller, et de **rough** : *rude, rugueux ; (chemin) inégal, raboteux, accidenté ; brutal, grossier ; approximatif, vague.*

15. **clump** : *bosquet, bouquet (d'arbres), groupe.*

'That's Challenger's doing[1],' said Malone, grinning[2]. 'Said it was one-tenth of an inch out of estimate[3], so he simply chucked[4] it by the wayside[5].'

'With a lawsuit to follow, no doubt.'

'A lawsuit ! My dear chap, we should have a court of our own. We have enough to keep a judge busy for a year. Government, too. The old[6] devil cares[7] for no one. Rex *v*[8]. George Challenger and George Challenger *v*. Rex. A nice devil's dance the two will have from one court to another. Well, here we are. All right, Jenkins, you can let us in !'

A huge man with a notable cauliflower ear was peering[9] into the car, a scowl[10] of suspicion upon his face. He relaxed and saluted as he recognized my companion.

'All right, Mr. Malone. I thought it was the American Associated Press.'

'Oh, they are on the track, are they ?'

'They today, and *The Times* yesterday. Oh, they are buzzing round[11] proper. Look at that !' He indicated a distant dot upon the skyline. 'See that glint ![12] That's the telescope of the Chicago *Daily News*. Yes, they are fair after us now. I've seen 'em in rows[13], same as the crows along the Beacon yonder.'

'Poor old Press gang !' said Malone, as we entered a gate[14] in a formidable barbed wire fence. 'I am one of them myself, and I know how it feels.'

At this moment we heard a plaintive bleat behind us of 'Malone ! Ted Malone !'

---

1. **doing** : ici nom verbal, *le fait de faire, la façon de faire.*
2. **to grin** : le sens de ce verbe va de la grimace méprisante au sourire réjoui. Le point commun est que les dents sont visibles.
3. **estimate** : *prévision ; devis.*
4. **to chuck** : (verbe familier) *jeter, lancer, flanquer.*
5. **by the wayside** : *au bord du chemin, de la route.*
6. **old** se rapporte ici à l'âge, mais aussi à l'expérience, et n'est pas exempt d'affection et d'admiration.
7. **to care (for, about)** : *se soucier, s'inquiéter, se préoccuper de.*
8. **v** : abréviation du latin versus, contre. Précède le nom de l'accusé(e) dans les procès.

« Ça c'est du Challenger », déclara Malone en souriant. « Il a dit que c'était hors norme d'un centimètre, et il l'a simplement balancée au fossé. »

« Avec un procès à la clé, sûrement. »

« Un procès ! Mon cher ami, il nous faudrait notre tribunal personnel. Nous avons assez de dossiers pour occuper un juge pendant un an. Ainsi que le gouvernement. Ce diable de bonhomme ne craint personne. La couronne contre Georges Challenger et Georges Challenger contre la Couronne. Une sacrée gigue que ces deux-là vont danser d'un tribunal à l'autre. Ah, nous y voilà. Eh bien Jenkins, laissez-nous entrer ! »

Un colosse, remarquable pour son oreille en chou-fleur, scrutait l'intérieur du véhicule avec une grimace soupçonneuse. Il se détendit et salua en reconnaissant mon compagnon.

« D'accord Monsieur Malone. Je pensais que c'était l'Associated Press. »

« Oh, ils sont sur la piste, hein ? »

« Eux aujourd'hui, et le Times hier. Oh, ils s'en donnent à cœur joie. Regardez ça ! » Il indiquait un point éloigné à l'horizon.

« Voyez cet éclair ! C'est le télescope du Daily News de Chicago. Oui ils sont vraiment après nous maintenant. J'en ai vu des nuées, comme les corneilles autour de la balise là-bas. »

« Pauvre armée de la Presse », s'exclama Malone comme nous passions par une ouverture ménagée dans une impressionnante clôture de barbelés. J'en fais partie moi-même, je sais ce qu'ils ressentent. »

A cet instant nous entendîmes un bêlement plaintif derrière nous : « Malone, Ted Malone ! »

---

9. **to peer** : *scruter, dévisager, regarder avec une attention soutenue.* Souvent utilisé lorsqu'il y a des difficultés à voir nettement (obscurité, etc.).
10. **scowl** : *air maussade, renfrogné, menaçant, froncement de sourcils.* Verbe idem, **to scowl**.
11. **to buzz (a)round** : *s'activer, s'agiter (le plus souvent inutilement)* ; de **to buzz**, bourdonner.
12. **glint** : *éclat ou reflet métallique, trait de lumière.* De même pour le verbe **to glint**.
13. **'em** : prononciation populaire de **them. Row** [rau], rangée.
14. **gate** : *portail, porte (de ville, d'usine, etc.), barrière.*

It came from a fat little man who had just arrived upon a motor-bike and was at present struggling in the Herculean grasp of the gate-keeper.

'Here, let me go !' he sputtered[1]. 'Keep your hands off ! Malone, call off this gorilla of yours.'

'Let him go, Jenkins ! He's a friend of mine[2] !' cried Malone. 'Well, old bean[3], what is it ? What are you after in these parts ? Fleet Street[4] is your stamping ground[5] not the wilds[6] of Sussex.'

'You know what I am after perfectly well,' said our visitor. 'I've got the assignment to write a story about Hengist Down and I can't go home without the copy.'

'Sorry, Roy, but you can't get anything here. You'll have to stay on that side of the wire. If you want more you must go and see Professor Challenger and get his leave.'

'I've been,' said the journalist ruefully. 'I went this morning[7].'

'Well, what did he say ?'

'He said he would put me through the window.'

Malone laughed.

'And what did you say ?'

'I said, "What's wrong with the door[8] ?" and I skipped[9] through it just to show there was nothing wrong with it. It was no time for argument. I just went. What with that bearded Assyrian bull in London, and this thug[10] down here, who has ruined my clean celluloid[11], you seem to be keeping queer company, Ted Malone.'

---

1. **to sputter** : *1) crachoter, postillonner, bredouiller, crépiter, pétiller, grésiller.*
2. **a friend of mine** : même construction que pour **this gorilla of yours**.
3. **old bean** : (fam.) *vieille branche.* **Bean** : *haricot.*
4. **Fleet Street**, rue de Londres ou se trouvent les sièges de nombreux journaux, d'où le journalisme, la presse, les journalistes.
5. **stamping ground** : *terrain de prédilection* (premier sens : terrain où un animal imprime sa marque dans le sol par ses passages répétés). De **to stamp**, *frapper du pied, piétiner ; marquer, imprimer, timbrer.*
6. **wilds** : *étendues désertiques.*

Cela venait d'un petit homme corpulent qui venait d'arriver à moto et tentait en ce moment d'échapper à l'étreinte herculéenne du gardien.

« Allons, lâchez-moi ! » bafouillait-il. Ne me touchez pas ! « Malone rappelle ton gorille ! »

« Lâchez-le Jenkins, c'est un ami à moi cria Malone. « Eh bien, mon vieux, de quoi s'agit-il ? Que viens-tu chercher ici ? Fleet Street est ton domaine, pas les landes du Sussex. »

« Tu sais très bien ce que je cherche » répondit notre visiteur. « J'ai pour mission d'écrire un article sur Hengist Down et je ne peux pas rentrer sans ma copie. »

« Désolé, Roy, mais tu n'obtiendras rien ici. Il te faudra rester de l'autre côté de la clôture. Pour en savoir plus, il te faut aller voir le Professeur Challenger et obtenir son autorisation. »

« J'y suis allé » dit le journaliste d'un ton lugubre.

« J'y suis allé ce matin. »

« Et alors qu'a-t-il dit ? »

« Il a dit qu'il allait me jeter par le fenêtre. »

Malone ricana.

« Et qu'as-tu répondu ? »

J'ai dit « pourquoi pas par la porte, » et je l'ai franchie en vitesse. Juste pour montrer qu'elle ne posait pas de problème. C'était pas le moment de discuter. J'ai juste filé. Entre ce taureau assyrien barbu à Londres et ce bandit ici, qui vient de bousiller mon faux col neuf, tu me sembles avoir de drôles de fréquentations, Ted Malone. »

---

7. Bel exemple de l'emploi des temps. Le présent-perfect, **I've been** pour indiquer un fait passé et non daté, dont seul compte le résultat, et le prétérite **I went** lorsque ce fait est daté **(this morning)**.
8. m. à m. : *qu'est-ce qui ne va pas avec la porte ?*
9. **to skip** : *1) sauter, sautiller ; 2) filer, se sauver, décamper ; 3) sauter, éviter.*
10. **thug** : *assassin, bandit, homme de main.* Premier sens : *étrangleur.*
11. **celluloid** : *la mode était alors au cols* **[collar(s)]** *en celluloïde.*

'I can't help you, Roy ; I would if I could. They say in Fleet Street that you have never been beaten, but you are up against it[1] this time. Get back to the office, and if you just wait a few days I'll give you the news as soon as the old man allows[2].'

'No chance of getting in ?'

'Hot an earthly[3].'

'Money no object[4] ?'

'You should know better[5] than to say that.'

'They tell me it's a short cut to New Zealand.'

'It will be a short cut to the hospital if you butt in[6] here, Roy. Good-bye, now. We have some work to do of our own.

'That's Roy Perkins, the war correspondent,' said Malone as we walked across[7] the compound. 'We've broken his record[8], for he is supposed to be undefeatable. It's his fat little innocent face that carries him through everything[9]. We were on the same staff[10] once. Now there' – he pointed to a cluster of pleasant red-roofed bungalows – 'are the quarters of the men. They are a splendid lot of picked workers who are paid far above ordinary rates. They have to be bachelors and teetotallers[11], and under oath of secrecy. I don't think there has been any leakage up to now. That field is their football ground and the detached house is their library and recreation room. The old man is some organizer[12], I can assure you. This is Mr. Barforth, the head engineer-in-charge.'

A long, thin, melancholy[13] man with deep lines[14] of anxiety upon his face had appeared before us.

---

1. **to be up against it** : *s'y trouver confronté.*

2. **allows** : notez l'emploi du présent anglais – au lieu du futur – après **as soon as**. (De même qu'après **when** au sens de lorsque).

3. **not an earthly** : *sous-entendu* **chance**, ou **one**. Cf. **No chance on earth. Earthly** *terrestre, de ce monde.*

4. **Money no object** : sous-entendu **is (no object)**. Cf. **Expense/distance (is) no object**, la dépense/la distance importe peu.

5. m. à m. : *tu devrais savoir mieux.* **To know better** : *avoir trop d'expérience/de sagesse pour commettre une erreur, se garder de, être trop malin/avisé.*

6. **to butt in** : *intervenir sans y être invité, s'imposer.*

7. **to walk across** : *traverser en marchand.* C'est la préposition

« Je ne peux rien pour toi, Roy ; je t'aiderais si je le pouvais. Ils disent à Fleet Street que tu n'as jamais été battu, mais ça va t'arriver cette fois-ci. Retourne au bureau, et si tu attends juste quelques jours je te donnerai des nouvelles dès que le vieux le permettra. »

« Pas moyen d'entrer ? »

« Aucune chance au monde. »

« L'argent n'aiderait pas ? »

« Tu sais bien que non. »

« On me dit que c'est un raccourci pour la Nouvelle-Zélande. »

« Ça sera un raccourci pour l'hôpital si tu insistes, Roy. Allez, au revoir. On a notre propre travail à faire. »

« C'est Roy Perkins, le correspondant de guerre », dit Malone alors que nous traversions l'enceinte. « Nous avons mis un terme à son record, car il est supposé être imbattable. Il franchit toutes les barrières grâce à son petit visage grassouillet à l'air innocent. On a jadis travaillé pour le même journal. Ah, voilà » – il désignait un groupe de jolis bungalows aux toits rouges – « les logements des hommes. C'est un splendide échantillonnage de travailleurs triés sur le volet et payés bien au-dessus des tarifs ordinaires. Ils doivent être célibataires et buveurs d'eau, et avoir juré le secret. Je ne crois pas qu'il y ait eu de fuite à ce jour. Ce champ est leur terrain de football et cette maison séparée leur bibliothèque et salle de récréation. Le vieux est un sacré organisateur, crois-moi. Voici M. Barforth, l'ingénieur-en-chef responsable. »

Un homme mince, tout en longueur, à l'air mélancolique et au visage marqué par l'anxiété se tenait devant nous.

---

across qui indique le mouvement principal, le verbe précisant la manière.

8. **to break a record** : deux sens possibles : *1) battre un record ; 2)* (ici) *mettre un terme à un record* (sens plus rare).

9. **To carry through** : permettre de franchir, faire surmonter.

10. **staff** : *personnel.* Ici d'un journal : **the editorial staff**, la rédaction.

11. **teetotaller** : *anti-alcoolique, abstinent.*

12. **some organizer : some** a ici un sens intensif. **That was some party** ! *Ça c'était une soirée !/Quelle soirée !*

13. **melancholy**, en anglais l'adjectif (mélancolique) a la même forme que le nom (la mélancolie).

14. **lines** : *rides.*

'I expect[1] you are the Artesian engineer,' said he, in a gloomy voice. 'I was told to expect you. I am glad you've come, for I don't mind telling[2] you that the responsibility[3] of this thing is getting on my nerves[4]. We work away[5], and I never know if it's a gush[6] of chalk water, or a seam of coal, or a squirt of petroleum, or maybe a touch of hell fire that is coming next. We've been spared the last up to now, but you may make the connection[7] for all I know.'

'Is it so hot down there ?'

'Well, it's hot. There's no denying it. And yet maybe it is not hotter than the barometric pressure and the confined space might account for. Of course, the ventilation is awful. We pump the air down, but two-hour shift[8] are the most the men can do – and they are willing lads too[9]. The Professor was down yesterday, and he was very pleased with it all. You had best join us at lunch, and then you will see it for yourself.'

After a hurried and frugal meal we were introduced with loving assiduity upon the part of the manager to the contents of his engine-house, and to the miscellaneous scrapheaps of disused implements[10] with which the grass was littered. On one side was a huge dismantled Arrol hydraulic shovel, with which the first excavations had been rapidly made. Beside it was a great engine which worked a continuous steel rope[11] on which the skips were fastened which drew up the debris by successive stages from the bottom of the shaft.

---

1. **to expect** : *1) s'attendre à, prévoir, compter sur ; 2) penser, croire.*
2. Remarquez l'emploi (obligatoire) de la forme en **-ing** pour un verbe après **I don't mind, to you mind**, etc.
3. **responsibility** : attention à l'orthographe (trois « i ») ! L'adjectif est ***responsible (for something)***.
4. **to get on someone's nerves** : *agacer, irriter, énerver, taper sur les nerfs.*
5. **away** est ici un intensif, avec le sens de *sans désemparer, comme des fous, furieusement.*
6. **gush** : *jet, jaillissement ; épanchement, débordement de sentiment.* **To gush** : jaillir.

« Je suppose que vous êtes l'ingénieur artésien » dit-il, d'une voix sombre. « On m'a annoncé votre venue. Je suis heureux de votre arrivée, car je ne vous cache pas que la responsabilité de cette affaire me rend nerveux. On travaille sans arrêt, et je ne sais jamais sur quoi nous allons tomber un jaillissement d'eau crayeuse, une veine de charbon, une giclée de pétrole, ou pourquoi pas quelque flamme de l'enfer. Ce dernier élément nous a jusqu'ici été épargné mais autant que je sache vous allez peut-être percer jusque là. »

« Est-ce qu'il fait si chaud que ça en bas ? »

« Ah, il fait chaud. C'est sûr. Et pourtant peut-être qu'il ne fait pas plus chaud que ce qu'il faut attendre de la pression barométrique et de l'espace restreint. Évidemment la ventilation est très mauvaise. Nous faisons descendre l'air avec des pompes, mais les équipes ne peuvent pas travailler plus de deux heures – et il s'agit d'hommes terriblement motivés. Le professeur est descendu hier, et il était très satisfait de tout ce qu'il a vu. Le mieux est que vous vous joigniez à nous pour le déjeuner, vous verrez alors par vous-même. »

Après un repas rapide et frugal, le directeur nous présenta longuement, avec amour, les appareils de la salle des machines et les divers tas de ferrailles d'outils abandonnés dont l'herbe était jonchée. D'un côté se trouvait une énorme pelle hydraulique Arrol démontée, avec laquelle les premières excavations avaient été rapidement effectuées. À côté une grosse machine assurait la rotation permanente d'un filin d'acier auquel étaient fixés les godets qui par étapes successives remontaient les débris du fond du puits.

---

7. **make up the connection** : *établir le contact, entrer en communication* (ici avec l'enfer).

8. **shift** : *équipe* (qui travaille un certain temps avant d'être remplacée). **Nigh-shift**, *une équipe de nuit.* L'équipe du point de vue de sa cohésion interne se dit **team**.

9. **lad** : *garçon, jeune homme.* **(My) lad** : (familier) *mon pote, mon garçon, mon vieux, etc.* **Too** signifie ici *en outre, de plus, il faut le dire.*

10. **implement** : en anglais moderne, ce mot ne s'utilise plus guère que pour des outils agricoles. *Outil* : **tool. To implement**, *appliquer, mettre en œuvre.*

11. m. à m. : *qui commandait un filin continu d'acier…*

In the power-house were several Escher Wyss turbines of great horse-power running at one hundred and forty revolutions a minute and governing hydraulic accumulators which evolved a pressure of fourteen[1] hundred pounds per square inch[2], passing in three-inch pipes down the shaft and operating four rock drills with hollow cutters of the Brandt type. Abutting upon the engine-house was the electric house supplying power for a very large lighting instalment, and next to that again was an extra turbine of two hundred horse-power, which drove a ten-foot[3] fan forcing air down a twelve-inch pipe to the bottom of the workings. All these wonders were shown with many technical explanations by their proud operator, who was well on his way to boring me stiff[4], as I may in turn have done my reader[5]. There came a welcome interruption, however, when I heard the roar of wheels and rejoiced to see my Leyland three-tonner come rolling[6] and heaving[7] over the grass, heaped up with my tools and sections of tubing, and bearing my foreman, Peters, and a very grimy[8] assistant in front. The two of them set to work at once to unload my stuff[9] and to carry it in. Leaving them at their work, the manager, with Malone and myself, approached[10] the shaft.

It was a wondrous[11] place, on a very much larger scale than I had imagined. The spoil banks[12], which represented the thousands of tons removed, had been built up into a great horseshoe around it, which now made a considerable hill. In the concavity of this horseshoe, composed of chalk, clay, coal, and granite,

1. **fourteen**. Attention à l'orthographe : **four, fourteen**, mais **forty** *(40)*.

2. **1 pound** : *0,453 kg.* **Fourteen hundred : one thousand four hundred ; 1,400 pounds** : *700 kg.* **1 square inch** : *6,45 cm².*

3. **a ten-foot fan : ten-foot** est adjectif, donc invariable, d'où pas de pluriel pour **foot**. Idem ci-dessous pour **twelve-inch pipe**. (Cf. **a ten-year old boy**).

4. **stiff** : *raide, rigide, engourdi.* Cf. **To bore someone to death**, *barber quelqu'un à mort.*

5. Conan Doyle s'amuse, et se rend compte que l'accumulation d'éléments techniques, pour faire vrai, peut aussi barber le lecteur.

Dans la station génératrice il y avait plusieurs turbines Escher Wyss de grande puissance tournant à cent quarante tours-minute et alimentant des accumulateurs hydrauliques qui développaient une pression de mille quatre cent livres par pouce carré, descendant le long du puits dans des tuyaux de 3 pouces et faisant fonctionner quatre foreuses à fraise creuse de type Brandt. Attenante à la salle des machines se trouvait l'installation électrique qui fournissait le courant à un très puissant système d'éclairage et tout à côté une turbine supplémentaire de deux cents chevaux, qui faisait tourner un ventilateur de dix pieds qui projetait l'air dans un tuyau de douze pouces jusqu'au fond de l'excavation. Toutes ces merveilles furent présentées avec fierté et un luxe de détails techniques par leur responsable, qui n'était pas loin de m'ennuyer à mourir, comme je risque d'avoir barbé mon lecteur. Il y eut cependant une interruption bienvenue quand j'entendis le grondement des roues de mon camion Leyland de trois tonnes et que j'eux le plaisir de le voir rouler et tanguer sur l'herbe, chargé de mes outils et de sections de tubes, et transportant à l'avant un contremaître, Peters et un assistant noir de poussière. Tous deux se mirent aussitôt au travail pour décharger mon matériel et le transporter à l'intérieur. Les laissant à leur travail, le directeur, avec Malone et moi-même, s'approcha du puits.

C'était un endroit étonnant, à une échelle beaucoup plus grande que ce que j'avais imaginé. Le terril, qui représentait les milliers de tonnes retirées, formait autour un grand fer à cheval, et constituait maintenant une grosse colline. Dans la partie concave de ce fer à cheval composé de craie, d'argile, de houille et de granit,

---

6. Cf. **to pitch and roll**, tanguer et rouler (navire).
7. **to heave** : *1) lever, soulever ; 2) pousser un soupir* **(a sigh)**.
8. **grimy**, *sale, noirci, encrassé.*
9. **stuff** : *substance, matériau.* Emploi familier : *machin, truc, camelote, barda, fourbi.*
10. **to approach** : comme **to enter**, a un complément direct (sans préposition) : **to approach/to enter a house.**
11. **wondrous** : plus littéraire que **wonderful**, et insiste davantage sur la surprise.
12. **spoil** : *1) butin, dépouilles ; 2) (mines) déblais, rejet.* **Bank** : *berge, talus, remblai.*

there rose up a bristle[1] of iron pillars and wheels from which the pumps and the lifts were operated. They connected with the brick power building which filled up the gap[2] in the horseshoe. Beyond it lay the open mouth of the shaft, a huge yawning[3] pit, some thirty or forty feet in diameter, lined and topped with brick and cement. As I craned[4] my neck over the side and gazed down into the dreadful abyss, which I had been assured was eight miles deep, my brain reeled[5] at the thought of what it represented. The sunlight struck the mouth of it diagonally, and I could only see some hundreds of yards of dirty white chalk, bricked here and there where the surface had seemed unstable. Even as I looked, however, I saw, far, far down in the darkness, a tiny speck[6] of light, the smallest possible dot, but clear and steady against the inky[7] background.

'What is that light ?' I asked.

Malone bent over the parapet beside me.

'That's one of the cages coming up,' said he. 'Rather wonderful, is it not ? That is a mile or more from us, and that little gleam is a powerful arc lamp. It travels quickly, and will be here in a few minutes.'

Sure enough the pin-point of light came larger and larger, until it flooded the tube with its silvery radiance, and I had to turn away my eyes from its blinding glare[8]. A moment later the iron[9] cage clashed up to the landing stage[10], and four men crawled out[11] of it and passed on to the entrance.

'Nearly all in[12], said Malone.

---

1. **bristle** : désigne aussi les soies de porc, de sanglier, de brosse. **To bristle** : *(se) hérisser ; se rebiffer.*
2. **gap** : *trou, lacune, fossé.* **Trade gap** : *déficit commercial.*
3. **to yawn** : *1) béer, être béant ; 2) bâiller.*
4. **to crane one's neck** : *allonger le cou, se hausser pour voir.* **A crane** : *une grue.* **To crane** : *lever ou décharger avec une grue.*
5. **to reel** : *tournoyer ; vaciller, chanceler, tituber.* **It makes my brain reel**, *ça me donne le vertige.*
6. **speck** : *point, petite tache, point lumineux, grain de poussière.*
7. **inky** : *noir comme de l'encre*, **ink**.

se dressait un hérissement de piliers d'acier et de roues d'où les pompes et les monte-charge étaient dirigés. Ces installations étaient reliées au bâtiment en briques de la station génératrice qui occupait la partie laissée libre par le fer à cheval. Au-delà s'ouvrait la bouche du puits, immense trou béant, de trente à quarante pieds de diamètre, bordé et couronné de briques et de ciment. Comme je tendais le cou au-dessus du rebord pour plonger mon regard dans cet abîme effrayant, dont on m'avait assuré qu'il avait huit milles de profondeur, mon esprit chancelait à l'idée de ce qu'il représentait. Le soleil en frappait l'orifice en diagonale, et je ne pouvais voir que quelques centaines de mètres de craie blanche souillée, renforcés ici et là quand la surface en avait semblé instable. Pendant que je regardais, cependant, je vis très loin en bas du trou noir, une minuscule tache de lumière, un tout petit point, mais net et persistant sur ce fond d'encre.

« Quelle est cette lumière ? » demandai-je. Malone se pencha à côté de moi sur le parapet.

« C'est une des cages qui remonte » dit-il.

« Plutôt fantastique, hein ? C'est à un mille ou plus de nous, et ce faible éclat est une puissante lampe à arc. La cage se déplace vite, elle sera ici dans quelques minutes. »

Effectivement, le point lumineux grandit progressivement jusqu'à inonder le puits de son éclat argenté, me forçant à détourner les yeux pour ne pas être aveuglé. Un instant plus tard la cage d'acier heurtait l'appontement et quatre hommes en émergèrent pour gagner l'entrée.

« Ils n'en peuvent plus », dit Malone.

---

8. **glare** : *éclat, clarté, lumière violent(e), éblouissant(e).* **To glare** : *briller d'un éclat éblouissant.* **To glare at someone** : *lancer un regard furieux, indigné.*
9. **iron** : le **r** n'est pas prononcé GB ['aiən], ou déplacé US ['aiərn].
10. **landing stage** : *débarcadère, embarcadère, ponton de débarquement.*
11. **to crawl** : *ramper.* **To crawl out**, *sortir en rampant.*
12. **all in** : familier au sens de *fourbu, vanné, éreinté, rendu.*

'It is no joke[1] to do a two-hour shift at that depth. Well, some of your stuff is ready to hand[2] here. I suppose the best thing we can do is to go down. Then you will be able to judge the situation for yourself.'

There was an annexe to the engine-house into which he led me. A number of baggy[3] suits of the lightest tussore material were hanging from the wall. Following Malone's example I took off every stitch[4] of my clothes, and put on one of these suits, together with a pair of rubber-soled slippers[5]. Malone finished before I did and left the dressing-room. A moment later I heard a noise like ten dog-fights rolled into one[6], and rushing out I found my friend rolling on he ground with his arms round the workman who was helping to stack my artesian tubing. He was endeavouring to tear[7] something from him to which the other was most desperately clinging[8]. But Malone was too strong for him, tore the object out of his grasp, and danced upon it until it was shattered to pieces[9]. Only then did I recognize that it was a photographic camera. My grimy-faced artisan rose ruefully from the floor.

'Confound you[10], Ted Malone !' said he. 'That was a new ten-guinea[11] machine.'

'Can't help it, Roy. I saw you take the snap[12], and there was only one thing to do.'

'How the devil did you get mixed up with my outfit[13] ?' I asked, with righteous indignation.

The rascal winked and grinned.

---

1. **It is no joke** : *plus fort (et plus idiomatique) que* **It is not a joke. No** : *en rien.*
2. **to hand** : *à proximité, à portée (de main).*
3. **baggy** : *1) ample, bouffant, flottant ; 2) informe, déformé par l'usage* (pantalon, etc.).
4. **stitch** : *point (de couture), maille. Cf.* **A stitch in time saves nine**, *un point à temps en vaut cent (mieux vaut prévenir que guérir).*
5. **slippers** : *pantoufles, chaussons.* **To slip** : *glisser.* **To slip on,** *(vêtement) enfiler.*
6. m. à m. : *roulés en un seul.*
7. **to tear** [tɜər], **tore, torn** : *déchirer ; arracher.*

« Ce n'est pas rien de faire ses deux heures de travail à cette profondeur. Bon une partie de ton matériel est prête à être utilisé. Je suppose que le mieux que nous ayons à faire est de descendre. Tu pourras ainsi juger de la situation par toi-même. »

Il y avait une annexe à la salle des machines où il me conduisit. Des tenues amples en soie ultra-légère pendaient au mur. Suivant l'exemple de Malone, je retirai tous mes vêtements et je mis une de ces tenues ainsi qu'une paire d'espadrilles à semelles de caoutchouc. Malone fut prêt avant moi et sortit de la pièce. Un instant plus tard j'entendis un vacarme comparable à dix combats de chiens ; je me précipitai à l'extérieur de la pièce pour trouver mon ami roulant par terre, les bras autour de l'ouvrier qui aidait à empiler mes tubes artésiens. Il essayait de lui arracher quelque chose à quoi l'autre s'accrochait désespérément. Mais Malone était trop fort pour lui, lui arracha l'objet et le piétina jusqu'à ce qu'il fut réduit en miettes. Ce n'est qu'alors que je reconnus une caméra photographique. Mon artisan au visage noirci se releva, l'air lugubre.

« Maudit sois-tu, Ted Malone », dit-il. « C'était un appareil neuf qui valait dix guinées. »

« Je n'y peux rien, Roy. Je t'ai vu prendre la photo, et il n'y avait qu'une chose à faire. »

« Comment diable vous êtes-vous trouvé mêlé à mon équipe ? » demandai-je avec une indignation vertueuse.

Le gredin cligna de l'œil avec un large sourire.

---

8. **to cling, clung, clung** : *s'accrocher, se cramponner ; (se) coller, adhérer.*
9. **pieces** : souvent utilisé pour des morceaux, des fragments. Au sens de pièce mécanique, etc. utiliser **part**. Pièces de rechange, **spare parts**.
10. expression vieillie : **down you**.
11. **guinea** ['gini] : *guinée* ; 1 livre et un shilling, monnaie de compte pour articles de luxe, pas de billet correspondant.
12. **snap : snapshot**, *instantané (photo).*
13. **outfit** : *1) équipement ; 2)* (aujourd'hui familier) *équipe, drôle d'équipe.*

'There are always ways and means[1],' said he. 'But don't blame your foreman. He thought it was just a rag[2]. I swapped clothes with his assistant, and in I came[3].'

'And out you go,' said Malone. 'No use arguing[4], Roy. If Challenger were here he would set the dogs on you. I've been in a hole[5] myself, so I won't be hard, but I am watchdog here, and I can bite as well as bark. Come on ! Out you march[6] !'

So our enterprising visitor was marched by two grinning workmen out of the compound. So now the public will at last understand the genesis of that wonderful four-column article headed 'Mad Dream of a Scientist', with the subtitle 'A Bee-line[7] to Australia', which appeared in *The Adviser* **some days later and brought Challenger to the verge of apoplexy, and the editor[8] of** *The Adviser* **to the most disagreeable and dangerous interview of his lifetime. The article was a highly coloured and exaggerated account of the adventure of Roy Perkins, 'our experienced war correspondent', and it contained such purple[9] passages as 'this hirsute bully of Enmore Gardens', 'a compound[10] guarded by barbed wire, plug-uglies, and bloodhounds', and finally, 'I was dragged from the edge of the Anglo-Australian tunnel by two ruffians, the more savage being a jack-of-all-trades[11] whom I had previously known by sight as a hanger-on[12] of the journalistic profession, while the other, a sinister figure in a strange tropical garb[13], was posing as an Artesian engineer, though his appearance was more reminiscent of Whitechapel[14]'.**

---

1. **ways and means** : *voies et moyens.* Cf. **The Ways and Means Committee**, *la commission des finances.*
2. **a rag** : *une farce, une blague.*
3. Ce type d'inversion – à part **Here me are, Off me go, Here we go** – est plutôt rare en langue courante.
4. **no use arguing** : forme en **-ing** *obligatoire* pour un verbe après **(it is) no use.**
5. **to be in a hole** : *avoir des ennuis, être dans une situation pénible.*
6. **to march** : *marcher au pas.* Idée ici d'obéissance rapide, cf. le français « mettre au pas ».
7. **bee-line** : ligne directe suivie par une abeille pour aller d'un point à un autre.

« On trouve toujours un moyen » dit-il. « Mais ne reprochez rien à votre contremaître. Il a cru que c'était juste une plaisanterie. J'ai échangé mes vêtements avec son assistant, et me voilà. »

« Et tu t'en vas », dit Malone. « Pas la peine de discuter, Roy. Si Challenger était ici, il te mettrait les chiens aux trousses. J'ai moi-même été dans la mouise, alors je ne serai pas trop dur, mais c'est moi le chien de garde ici, et je peux mordre aussi bien qu'aboyer. Allez ! Ouste ! »

Notre visiteur entreprenant fut donc escorté hors du site par deux ouvriers ricanants. Le public comprendra enfin la genèse de ce surprenant article sur quatre colonnes intitulé « le rêve fou d'un savant », et sous-titré « le chemin le plus direct pour l'Australie » qui parut dans « The Adviser » quelques jours plus tard, et qui mit Challenger au bord de l'apoplexie, et valut au rédacteur en chef de l'Adviser l'interview la plus désagréable et la plus dangereuse de toute son existence. L'article était un compte rendu haut en couleur et outrancier de l'aventure de Roy Perkins « notre correspondant de guerre chevronné », et contenait des morceaux de bravoure comme « la brute hirsute d'Enmore Gardens », « un chantier protégé par des barbelés, des gros bras et des molosses » et finalement « je fus arraché du bord du tunnel anglo-australien par deux ruffians, le plus violent étant un touche-à-tout que j'avais précédemment repéré comme parasite de la profession journalistique, tandis que l'autre, un personnage sinistre revêtu d'une étrange tenue exotique, se faisait passer pour ingénieur artésien, bien que son allure évoquât davantage Whitechapel ».

---

8. **editor** : *attention à ce faux-ami, un éditeur* : **a publisher**.
9. **purple** : *1) violet, cramoisi, pourpre ; 2)* **purple passage/patch**, *passage héroïque* (littéraire).
10. **compound** : *enclos,enceinte.*
11. **Jack-of-all-trades**, *bricoleur, homme à tout faire.* Cf. **Jack-of-all trades is good at none**.
12. **hanger-on**, personne qui fréquente un groupe pour essayer d'y pénétrer ou d'en tirer un avantage personnel.
13. **garb** : *costume, tenue (officiel(le) ou étrange,* mot souvent facétieux).
14. **Whitechapel** : quartier de la prostitution et du crime à Londres. C'est là que sévit **Jack the Ripper**, *Jack l'éventreur* dans les années 1880.

Having ticked us off[1] in this way, the rascal had an elaborate description of rails at the pit mouth, and of a zigzag excavation by which funicular trains were to burrow[2] into the earth. The only practical inconvenience arising from the article was that it notably increased that line of loafers[3] who sat upon the South Downs waiting for something to happen. The day came when it did[4] happen and when they wished themselves elsewhere.

My foreman with his faked assistant had littered the place with all my apparatus, my bellbox, my crowsfoot[5], the V-drills, the rods, and the weight, but Malone insisted that we disregard all that and descend ourselves to the lowest level. To this end we entered the cage, which was of latticed steel, and in the company of the chief engineer we shot[6] down into the bowels[7] of the earth. There were a series[8] of automatic lifts, each with its own operating station hollowed out in the side of the excavation. They operated with great speed, and the experience was more like a vertical railway journey than the deliberate fall which we associate with the British lift.

Since the cage was latticed and brightly illuminated, we had a clear view of the strata[9] through which we passed. I was conscious of each of them as we flashed past[10]. There were the sallow[11] lower chalk, the coffee-coloured Hastings beds, the lighter Ashburnham beds, the dark carboniferous clays, and then, gleaming in the electric light, band after band of jet-black, sparkling coal alternating with the rings of clay.

---

to tick off : *réprimander, enguirlander.*

2. **to burrow** : *creuser, se creuser (un terrier).* **A burrow** : *un terrier.*

3. **loafer** : *flemmard, tire-au-flanc.* **To loaf** : *traîner, fainéanter, tirer-au-flanc.*

4. **it did happen** : *cela arriva effectivement/vraiment.* Emploi emphatique de **to do**, forme d'insistance.

5. **bellbox, crowsfoot : bell**, cloche à écrous, utilisée dans les forages pour récupérer les parties brisées d'une sonde. **Crowsfoot** : pour extraire les tiges de sonde.

Ayant ainsi réglé ses comptes, le gredin décrivait en détail les rails à l'orée du puits, et une excavation en zigzag par laquelle des funiculaires allaient creuser la terre. Le seul inconvénient pratique provenant de l'article fut qu'il accrut considérablement la foule des flâneurs qui venaient s'asseoir sur les collines en attendant que quelque chose se produise. Vint le jour où ce fut le cas et où ils auraient souhaité être ailleurs.

Mon contremaître et son faux assistant avaient jonché le terrain de mes appareils, ma boîte de cloches à écrous, ma caracole, les forets en V, les tiges et le poids, mais Malone insista pour que nous ignorions tout cela et que nous descendions nous-mêmes jusqu'au niveau le plus bas. Dans ce but, nous entrâmes dans la cage, qui était en treillis d'acier, et en compagnie de l'ingénieur en chef nous plongeâmes vers les entrailles de la terre. Il y avait une série d'ascenseurs automatiques, chacun avec sa propre station de commande creusée dans le flanc de l'excavation. Ils fonctionnaient à grande vitesse, et l'expérience rappelait plus un voyage vertical en train que la descente contrôlée que nous associons à l'ascenseur britannique.

Comme la cage était à claire-voie et brillamment illuminée, nous avions une vue précise des strates que nous traversions. J'étais conscient de chacune d'elle quand nous les franchissions en trombe. Il y avait les étages inférieurs de craie jaunâtre, les couches de sable de Hastings de couleur café, celles, plus claires, d'Ashburnham, les argiles foncées du carbonifère, suivies, baignées de lumière électrique, de veine après veine de charbon d'un noir de jais étincelant, alternant avec les cercles d'argile.

---

6. **to shoot, shot, shot** : *1) tirer* (arme) *; 2)* (cinéma) *tourner ; 3) faire une piqure ; 4) aller comme une flèche.*

7. **bowels** : *intestins, boyaux.*

8. **series** : singulier et pluriel identique : **one series, two serries.**

9. **strata** : singulier **stratum.**

10. **we flashed past**, comme plus haut dans **shot down**, le mouvement est indiqué par la postposition (**past, down**), le verbe indiquant la manière (ici la vitesse).

11. **sallow** : se dit aussi d'un teint cireux.

Here and there brick work had been inserted, but as a rule the shaft was self-supported[1], and one could but marvel at the immense labour and mechanical skill which it represented. Beneath the coal-beds I was conscious of jumbled[2] strata of a concrete-like appearance, and then we shot down into the primitive granite, where the quartz crystals gleamed and twinkled as if the dark walls were sown[3] with the dust of diamonds. Down we went and ever down – lower now than ever mortals had ever before penetrated. The archaic rocks varied wonderfully in colour, and I can never forget one broad belt of rose-coloured felspar, which shone with an unearthly[4] beauty before our powerful lamps. Stage after stage, and lift after lift, the air getting ever closer and hotter until even the light tussore garments were intolerable and the sweat[5] was pouring[6] down into those rubber-soled slippers. At last, just as I was thinking that I could stand it[7] no more, the last lift came to a stand and we stepped out upon a circular platform which had been cut in the rock. I noticed that Malone gave a curiously suspicious glance round at the walls as he did so. If I did not know him to be among the bravest of men, I should say that he was exceedingly nervous.

'Funny-looking stuff,' said the chief engineer, passing his hand over the nearest section of rock. He held it to the light and showed that it was glistening[8] with a curious slimy[9] scum[10].

---

1. **self-supported** : *qui se soutient lui-même*. Cf. **self-supporting**, *indépendant, qui subvient à ses propres besoins, autonome.*
2. **jumbled** : de **to jumble**, *brouiller, emmêler, mélanger.* **A jumble** : *un fouillis, un enchevêtrement.*
3. **to sow, sowed, sown** : *1) semer ; 2) parsemer.*
4. **unearthly**, *qui n'est pas de ce monde.*
5. **sweat** : Attention à la prononciation [swet] – qui est celle aussi de l'anglais **sweatshirt.** A **sweat** et **to sweat**, considérés comme familiers, on préfère souvent **perspiration, to perspire**.
6. **to pour** : *verser, (se) déverser.*

Ici et là la paroi avait été renforcée par des briques, mais dans l'ensemble le puits était à nu, et l'on ne pouvait qu'admirer l'immense somme de travail et de compétence technique que cela représentait. Au-dessous des couches de houille j'aperçus une strate composite ressemblant à du ciment, puis nous plongeâmes dans le granit ancien où les cristaux de quartz luisaient et scintillaient comme si les sombres parois avaient été parsemées d'une poussière de diamants. Nous descendions toujours plus bas, plus bas que mortels n'avaient jamais pénétré. Les roches primaires étaient de couleurs merveilleusement variées, et je n'oublierai jamais une large ceinture de feldspath rose qui brillait d'une sublime beauté dans le faisceau de nos puissantes torches. Étapes après étape, ascenseur après ascenseur, l'air devenait de plus en plus confiné et chaud au point que même les légers vêtements de soie devenaient insupportables et que la sueur coulait dans les espadrilles à semelles de caoutchouc. Enfin, alors que je pensais ne plus pouvoir tenir, le dernier ascenseur s'immobilisa et nous pénétrâmes sur une plate-forme circulaire taillée dans le roc. Je remarquai que ce-faisant Malone jeta un regard bizarrement méfiant sur les parois. Si je ne savais pas qu'il est parmi les hommes les plus braves, je dirais qu'il était excessivement nerveux.

« Drôle de matière », dit l'ingénieur en chef, en passant la main sur la section de roche la plus proche. La tendant à la lumière, il montra qu'elle luisait d'une curieuse écume visqueuse.

---

7. **I can't stand it** : *je ne peux pas le supporter.*
8. **to glisten** ['glistn] : *miroiter, scintiller, chatoyer.* Notez la richesse des mots anglais commençant par « gl » et indiquant différents types d'éclat et niveaux d'intensité. **to glow**, *rougeoyer*, **glimmer**, *luire faiblement*, **glint**, *luire brièvement*, **gleam**, *briller*, **glisten**, *miroiter*, **glitter**, *scintiller*, **glare**, *éblouir*.
9. **slimy** : *visqueux, gluant, vaseux.* **slime** : *vase, limon, dépôt visqueux ; bave (d'escargot).*
10. **scum** : le mot a souvent une connotation déplaisante. Cf. **the scum of the earth**, *la lie de l'humanité.*

'There have been shiverings[1] and tremblings down here. I don't know what we are dealing with. The Professor seems pleased with it, but it's all new to me.'

'I am bound[2] to say I've seen that wall fairly[3] shake[4] itself,' said Malone. 'Last time I was down here we fixed those two cross-beams for your drill, and when we cut into it for the supports it winced[5] at every stroke. The old man's theory seemed absurd in solid[6] old London town, but down here, eight miles under the surface, I am not so sure about it.'

'If you saw what was under that tarpaulin you would be even less sure,' said the engineer. 'All this lower rock cut[7] like cheese, and when we were through it we came on a new formation like nothing on earth. "Cover it up ! Don't touch it !" said the Professor. So we tarpaulined it according to his instructions and there it lies.'

'Could we not have a look[8] ?'

A frightened expression came over the engineer's lugubrious countenance.

'It's no joke disobeying[9] the Professor,' said he. 'He is so damn' cunning, too, that you never know what check he has set on you. However, we'll have a peep[10] and chance it[11].'

He turned down our reflector lamp so that the light gleamed upon the black tarpaulin. The he stooped and, seizing the rope which connected up with the corner of the covering, he disclosed half a dozen square yards[12] of the surface beneath it.

It was a most extraordinary and terrifying sight. The floor consisted of some greyish material, glazed and shiny, which rose and fell in slow palpitation.

---

1. **shiverings** : de **to shiver**, *frissonner, trembler, tressaillir.*
2. **to bind, bound, bound** : *lier, attacher.* **To be bound** : *être obligé.* **It was bound to happen**, *ça devait arriver.*
3. **fairly** : *absolument, vraiment.*
4. **to shake, shook, shaken** : *secouer.*
5. **to wince** : *tressaillir, borncher, se crisper, accuser le coup.*
6. **solid** : *1) solide, robuste ; 2) d'un seul tenant ; 3) sérieux, consistant, substantiel, concret.*
7. **to cut** : *1) couper, tailler, découper ; 2) se couper, se découper.*

« Il y a eu des secousses et des tremblements là-dessous. Je ne sais pas à quoi nous avons affaire. Le professeur en a l'air content, mais c'est tout nouveau pour moi. »

« Je dois dire que j'ai vu cette paroi se mettre à remuer » dit Malone. « La dernière fois que je suis descendu ici nous avons fixé ces deux traverses pour ton trépan, et quand nous l'avons entaillée pour trouver appui elle a tressailli à chaque coup. La théorie du vieux semblait absurde dans ce bon vieux Londres mais ici, à huit milles au-dessous de la surface, j'en suis moins sûr. »

« Si vous voyiez ce qu'il y a sous cette bâche vous en seriez encore moins sûr », dit l'ingénieur. « On est entré dans toute cette roche inférieure comme dans du fromage, et quand on l'a eu traversée, nous avons trouvé une nouvelle substance inconnue sur terre. « Couvrez-la ! N'y touchez pas ! » a dit le professeur. Alors on l'a bâchée selon ses instructions, et elle est là-dessous. »

« Est-ce qu'on ne pourrait pas jeter un œil ? »

Une expression d'effroi se peignit sur le visage lugubre de l'ingénieur.

« Ce n'est pas rien de désobéir au professeur » dit-il. « Il est tellement rusé, en plus, qu'on ne sait jamais ce qu'il a trouvé pour nous surveiller. On va quand même risquer un coup d'œil. »

Il orienta vers le bas notre torche à réflecteur de façon à ce que le faisceau en éclaire la bâche noire. Puis il se pencha et saisissant la corde attachée au coin de la toile, il exposa six pieds carrés de la surface qu'elle recouvrait.

Ce fut un spectacle extraordinaire et terrifiant. Le sol était constitué d'une matière grisâtre, vitreuse et luisante, qui montait et descendait en une lente palpitation.

---

8) L'anglais parlé moderne serait plutôt **« Couldn't we have a look ? »**

9. **to disobey** : est suivi d'un complément direct (pas de préposition).

10. **peep** : *coup d'œil, regard furtif, jeté à la dérobée.* **To peep** : *regarder furtivement.* **A peeping Tom**, *un voyeur.*

11. **to chance it** : *prendre un risque, en prendre le risque, risquer le coup.*

12. **1 square yard** : *0,836 m^2.*

The throbs[1] were not direct, but gave the impression of a gentle ripple[2] or rhythm[3], which ran across the surface. This surface itself was not entirely homogeneous, but beneath it, seen as through ground[4] glass, there were dim whitish patches or vacuoles, which varied constantly in shape and size. We stood all three gazing spellbound[5] at this extraordinary sight.

'Does look[6] rather like a skinned animal', said Malone in an awed[7] whisper. 'The old man may not be so far out with his blessed[8] echinus.'

'Good Lord !' I cried. 'And am I to plunge a harpoon into that beast !'

'That's your privilege, my son,' said Malone, 'and, sad to relate, unless I give it a miss in baulk[9], I shall have to be at your side when you do it.'

'Well, I won't,' said the head engineer, with decision.

'I was never clearer on anything than I am on that. If the old man insists, then I resign my portfolio[10]. Good Lord, look at that !'

The grey surface gave a sudden heave upwards, welling[11] towards us as a wave does when you look down from the bulwarks. Then it subsided and the dim beatings and throbbings continued as before. Barforth lowered the rope and replaced the tarpaulin.

'Seemed almost as if it knew we were here,' said he.

'Why should it swell up[12] towards us like that ? I expect the light had some sort of effect upon it.'

'What am I expected to do now ?' I asked.

---

1. **throb** : *battement (de cœur), vibration.* **To throb** : *palpiter, vibrer, battre (cœur).*
2. **ripple** : *ondulation, ride (sur l'eau), vaguelette.*
3. **rhythm** : attention à l'orthographe ! (rh).
4. **to grind, ground, ground** : *écraser broyer, moudre.*
5. **spellbound : a spell**, *un charme* ; **to bind**, *lier, attacher.*
6. **Does look ; it does look** : forme d'insistance.
7. **to awe** : *inspirer du respect, de la crainte, intimider, impressionner.* **Awe** : *crainte mêlée de respect, crainte religieuse.*
8. **blessed** : *saint.* De **to bless**, *sanctifier.* Comme le français « sacré » a pris un sens négatif pour signifier **damned**.

Les pulsations n'étaient pas franches, mais donnaient l'impression d'une onde ou d'une cadence parcourant doucement la surface. Cette surface elle-même n'était pas entièrement homogène, mais en-dessous, comme à travers du verre dépoli, on voyait de vagues taches blanchâtres, des sortes de vacuoles, qui changeaient constamment de forme et de taille. Nous restions tous les trois immobiles, fascinés par ce spectacle extraordinaire.

« On dirait vraiment un animal écorché » murmura Malone, impressionné. « Le vieux n'est peut-être pas si fou avec son sacré oursin. »

« Seigneur ! » m'écriai-je. « Et me faut-il plonger un harpon dans cette créature ? »

« C'est ton privilège, mon fils » dit Malone, « et le pire c'est qu'à moins de perdre la face, il faudra que je sois à tes côtés à ce moment-là. »

« Eh bien moi je n'y serai pas » dit l'ingénieur-en-chef d'un ton décidé.

« Je n'ai jamais été aussi clair que là-dessus. Si le vieux insiste, je lui rends mon tablier. Mon Dieu ! Regardez ! »

La surface grisâtre s'était soudain soulevée, montant vers nous comme une vague vue depuis le bastingage. Puis elle retomba et les faibles battements et palpitations reprirent leur cours. Barforth relâcha la corde et replaça la bâche.

« On aurait presque dit que ça savait qu'on était là », dit-il.

« Pourquoi monter vers nous comme ça ? Je pense que la lumière y est pour quelque chose. »

« Que suis-je censé faire maintenant ? » demandai-je.

---

9. **to give a miss in balk/baulk** : *accepter de perdre plutôt que de prendre un risque.* **A balk** : *assez rare*, un obstacle, un empêchement. **To balk** : *1) contrarier ; 2) reculer, renâcler devant un obstacle.*
10. **to resign** : *démissionner.* **Portfolio** : *portefeuille (ministériel, de titres).*
11. **to well** : monter comme les larmes aux yeux, l'eau dans un puits, **well**).
12. **to swell, swelled, swollen ou swelled** : *(s')enfler, (se) gonfler.*

Mr. Barforth pointed to two beams which lay[1] across the pit just under the stopping place of the lift. There was an interval of about nine inches between them.

'That was the old man's idea,' said he. 'I think I could have fixed it better, but you might as well try to argue with a mad buffalo[2]. It is easier and safer just to do whatever he says[3]. His idea is that you should use your six-inch bore and fasten[4] it in some way between these supports.'

'Well, I don't think there would be much difficulty about that,' I answered. 'I'll take the job over[5] as from today.'

It was, as one might imagine, the strangest experience of my varied life which has included well-sinking[6] in every continent upon earth. As Professor Challenger was so insistent that the operation should be started from a distance, and as I began to see a good deal of sense in his contention, I had to plan some method of electric control, which was easy enough as the pit was wired[7] from top to bottom. With infinite care my foreman, Peters, and I brought down our lengths of tubing and stacked them on the rocky ledge[8]. Then we raised the stage of the lowest lift so as to give ourselves room. As we proposed to use the percussion system, for it would not do to trust entirely to gravity, we hung our hundred-pound weight over a pulley beneath the lift, and ran our tubes down beneath it with a V-shaped terminal. Finally, the rope which held the weight was secured[9] to the side of the shaft in such a way that an electrical discharge would release it.

---

1. **lay** : de **to lie, lay, lain**, *être posé, reposer.* Ne pas confondre avec **to lay, laid, laid**, *poser.*
2. **buffalo** : *buffle ou bison.*
3. **whatever he says**, *quoi que ce soit qu'il dise, tout ce qu'il dit.*
4. **to fasten** : *attacher, fixer.* Attention à la prononciation ['fɑːsn].
5. **to take over** : *prendre le contrôle de, prendre à sa charge, assurer la succession.*
6. **to sink, sank, sunk** : *1) sombrer, couler (navire) ; 2) s'affaisser, tomber, baisser ; 3) creuser, forer.*

M. Barforth désigna deux poutres placées en travers du puits juste au-dessous de l'endroit où s'arrêtait l'ascenseur. Il y avait entre elles un intervalle d'environ neuf pouces.

« C'était l'idée du vieux » dit-il. « Je pense que j'aurais pu l'installer mieux, mais autant discuter avec un buffle furieux. C'est plus facile et plus sûr de faire exactement tout ce qu'il dit. Son idée, c'est que vous utilisiez votre foreuse de 6 pouces et que vous trouviez moyen de la fixer entre ces appuis. »

« Ah, je ne pense pas que ce soit trop difficile », répondis-je. « Je prends les choses en main dès aujourd'hui. »

Ce fut, on l'imagine, l'expérience la plus étrange d'une carrière riche en variété qui m'a vu creuser des puits sur tous les continents. Comme le Professeur Challenger insistait tant pour que l'opération soit déclenchée à distance, et comme je commençais à voir le bien-fondé de cette exigence, il me fallut imaginer une méthode de commande électrique, ce qui était plutôt facile puisque le puits était câblé du haut en bas. Avec des précautions infinies mon contremaître, Peters, et moi-même descendîmes nos sections de tubulure pour les entasser sur le seuil rocheux. Puis nous relevâmes la plate-forme du dernier ascenseur pour nous faire de la place. Comme nous pensions utiliser un système à percussion (on ne pouvait pas compter seulement sur la pesanteur), nous suspendîmes notre poids de cent livres à une poulie sous l'ascenseur et installâmes au-dessous nos tiges qui se terminaient par une section en forme de V. Finalement la corde qui retenait le poids fut attachée à la paroi du puits de façon à ce qu'une décharge électrique la libère.

---

7. **to wire** : *1) relier, installer, brancher, entourer (avec un fil électrique ou métallique) ; 2) télégraphier.*

8. **ledge** : *rebord, saillie.* Nombreux mots anglais pour signifier bord, rebord : **side, edge ; rim** *(verre)*, **brim** *(chapeau)*, **sill** *(fenêtre)*, **bank** *(rivière)*, **shore** *(lac, mer)*, **brink** *précipice*, **verge** *(faillite)*.

9. **to secure** : *1) obtenir, se procurer ; 2) attacher, fixer ; 3) protéger, garantir, rendre sûr, sécuriser.*

It was delicate and difficult work done in a more than tropical heat, and with the ever-present feeling that a slip of a foot[1] or the dropping of a tool upon the tarpaulin beneath us might bring about some inconceivable catastrophe[2]. We were awed, too, by our surroundings. Again and again I have seen a strange quiver[3] and shiver pass down the walls, and have even felt a dull throb against my hands as I touched them. Neither Peters nor I were very sorry when we signalled for the last time that we were ready for the surface, and were able to report to Mr. Barforth that Professor Challenger could make his experiment[4] as soon as he chose[5].

And it was not long that we had to wait. Only three days after my date of completion my notice[6] arrived.

It was an ordinary invitation card such as one uses for 'at homes[7]', and it ran thus :

PROFESSOR G. E. CHALLENGER,

F.R.S., M.D., D. Sc.[8], etc.

(late President Zooligical Institute and holder of so many honorary degrees and appointments that they overtax[9] the capacity of this card)

requests the attendance of

MR. JONES (no lady)[10]

at 11.30 a.m. of Tuesday, June 21st, to witness[11] a remarkable triumph of mind over matter.

at

HENGIST DOWN, SUSSEX.

---

1. **slip** : *1) dérapage, faux pas ; 2) erreur, bévue, gaffe, étourderie.* **Slip of the tongue** : *lapsus.*
2. **catastrophe** : Attention, même orthographe qu'en français.
3. **quiver** : *frémissement, tremblement, frisson.*
4. **experiment** : bien distinguer entre ce mot, *expérience au sens scientifique*, et **experience**, *expérience résultant de l'âge et de la pratique. Expérimenté* : **experienced**.
5. **to choose, chose, chosen**, *choisir.*
6. **notice** : *avis, notification, annonce.* **To give notice** : *prévenir à l'avance, donner un préavis.*

C'était un travail délicat et difficile, dans une chaleur plus que tropicale et avec le sentiment permanent qu'un faux pas ou qu'un outil tombant sur la bâche au-dessous de nous pourrait provoquer une inconcevable catastrophe. Nous étions également impressionnés par notre environnement. À de nombreuses reprises, j'ai vu une onde étrange frémir et frissonner en descendant le long des parois, et en posant les mains sur celles-ci, j'ai même senti une sourde pulsation. Et Peters et moi-même ne fûmes pas fâchés de signaler pour la dernière fois que nous étions prêts à remonter, et de faire savoir à M. Barforth que le Professeur Challenger pourrait procéder à son expérience dès qu'il le voudrait.

Nous n'eûmes pas à attendre longtemps. Ma convocation arriva trois jours seulement après la fin de mes travaux. C'était une carte d'invitation classique, comme celles qu'on utilise pour les réceptions, et elle était rédigée ainsi :

LE PROFESSEUR G.E. CHALLENGER,
F.R.S., M.D., D. Sc., etc.
(ancien Président de l'Institut Zoologique et détenteur de tant de titres universitaires et de postes honorifiques que l'espace manque ici pour en donner la liste) invite
M. JONES (non accompagné)
à 11.30 le mardi 21 juin à assister à un remarquable triomphe de l'esprit sur la matière.
à
HENGIST DOWN, SUSSEX.

---

7. « **at home** » : *réception que l'on donne chez soi.* Le terme plus moderne et démocratique est simplement **« party »**.
8. **F.R.S.**, **Fellow of the Royal Society** (**fellow** : *membre*) ; **M.D.**, *medicinae doctor, docteur en médecine* ; **D.Sc**, **Doctor of Science**.
9. **to overtax** : *1) imposer trop lourdement ; 2) surmener, abuser de ; dépasser les capacités de, trop exiger de.*
10. **No lady** : même en tenant compte des préjugés de l'époque, la formule est discourtoise dans sa crudité.

Special train Victoria 10.5. Passengers pay their own fares. Lunch after the experiment or not – according to circumstances. Station, Storrington.

R.S.V.P.[1] (and at once with name in block letters), 14 Bis, Enmore Gardens, S.W.[2].

I found that Malone had just received a similar missive over which he was chuckling[3].

'It is mere swank[4] sending it to us,' said he. 'We have to be there whatever happens, as the hangman[5] said to the murderer. But I tell you this has set all London buzzing[6]. The old man is where he likes to be, with a pin-point[7] limelight[8] right on his hairy old head.'

And so at last the great day came. Personally I thought it well to go down the night before so as to be sure that everything was in order. Our borer was fixed in position, the weight was adjusted, the electric contacts could be easily switched on, and I was satisfied that my own part in this strange experiment would be carried out without a hitch[9]. The electric controls were operated at a point some five hundred yards from the mouth of the shaft, to minimize any personal danger. When on the fateful morning, an ideal English summer day, I came to the surface with my mind assured, I climbed[10] half-way up the slope of the Down in order to have a general view of the proceedings[11].

All the world seemed to be coming to Hengist Down. As far as we could see the roads were dotted[12] with people.

---

1. **R.S.V.P.** : abréviation du français « *Répondez s'il vous plait* ».
2. **S.W.** : abréviation de **South-West**.
3. **to chuckle** : *glousser, rire tout bas, sous-cape.*
4. **swank** : *prétention, gloriole, épate, fait de faire chic.*
5. **hangman** : *bourreau lors d'une pendaison.* **To hang** : *pendre.*
6. **to buzz** : bourdonner.
7. **pin-point** : point de la taille d'une pointe d'épingle.
8. **limelight** : *feux de la rampe.* **In the limelight**, *en vue, sous les projecteurs.*

Train spécial depuis Victoria à 10 h 05. Les billets à la charge des voyageurs. Déjeuner, ou non, après l'expérience, selon les résultats, Gare de Storrington.

R.S.V.P. (et d'urgence avec nom en capitales), 14 bis, Enmore Gardens, S.W.

J'appris que Malone avait reçu une missive similaire, qui le faisait glousser de rire.

« C'est juste de l'esbroufe de nous l'envoyer » dit-il. « Il faut qu'on soit là quoi qu'il arrive, comme le bourreau disait au meurtrier. Mais crois-moi, ça a mis tout Londres en émoi. Le vieux est là où il aime se trouver, avec les projecteurs braqués sur sa tête chevelue. »

Et c'est ainsi qu'arriva le grand jour. Je jugeai bon quant à moi de me rendre sur les lieux la veille au soir pour vérifier que tout était en ordre. Notre trépan était en position, le poids était fixé, les commandes électriques prêtes à fonctionner, et j'avais la certitude que ma contribution à cette étrange expérience se déroulerait sans incident. Les commandes électriques étaient actionnées depuis un point situé à environ 500 mètres de la bouche du puits, pour minimiser tout risque personnel. Lorsqu'au jour décisif, une magnifique journée d'été anglais, j'émergeai à la surface l'esprit en repos, je grimpai jusqu'à mi-hauteur de la colline pour avoir une vue d'ensemble des opérations.

Le monde entier semblait s'être donné rendez-vous à Hengist Down. Aussi loin que l'on pouvait voir, il y avait foule sur les routes.

---

9. **hitch** : *1) saccade, secousse ; 2) obstacle, empêchement, entrave, anicroche.*

10. **to climb** : [klaim] le « b » n'est pas prononcé.

11. **proceedings** : *1) marche à suivre, procédures, opérations ; 2) débats, délibérations.* **Minutes of the proceedings**, *procès-verbal de séance ; 3) poursuites judiciaires, procès.* **To take/institute/start** *(legal)* **proceedings**, *engager des poursuites.*

12. **to dot** : *parsemer.*

Motor-cars came bumping and swaying[1] down the lanes, and discharged their passengers at the gate of the compound. This was in most cases the end of their progress. A powerful band of janitors[2] waited at the entrance, and no promises or bribes[3], but only the production of the coveted buff tickets, could get them any farther. They dispersed therefore and joined the vast crowd which was already assembling on the side of the hill and covering the ridge with a dense mass of spectators. The place was like Epsom Downs on the Derby Day[4]. Inside the compound certain areas had been wired off[5], and the various privileged people were conducted to the particular pen to which they had been allotted. There was one for peers, one for members of the House of Commons[6], and one for the heads of learned[7] societies[8] and the men of fame in the scientific world, including Le Pellier of the Sorbonne and Dr. Driesinger of the Berlin Academy. A special reserved enclosure with sandbags and a corrugated iron roof was set aside for three members of the Royal Family.

At a quarter past eleven a succession of char-à-bancs brought up the specially-invited guests from the station and I went down into the compound to assist[9] at the reception. Professor Challenger stood by the select enclosure, resplendent in frock-coat, white waistcoat, and burnished[10] top-hat, his expression a blend of overpowering and almost offensive benevolence, mixed with most portentous[11] self-importance.

---

1. **to sway** : *1) se balancer, osciller, vasciller ; 2) influencer, influer sur.*
2. **janitor** : *portier, concierge, gardien d'immeuble.*
3. **bribe** : *pot de vin.* **To bribe**, *soudoyer, acheter (quelqu'un), corrompre.*
4. **Derby Day** : *Le Derby* ['dɑːbi] d'Epsom qui se court tous les ans en mai-juin à Epson (pour les poulains de 3 ans) est un des sommets de la saison hippique.
5. **to wire off** : *isoler au moyen d'un grillage ou de fils métalliques.*
6. Les pairs du royaume – héréditaires ou nommés pour les fonctions qu'ils occupent ou pour les services rendus à la nation siègent à la chambre des lords, dont les pouvoirs n'ont cessé d'être réduits par rapport à ceux de la chambre des communes.

Les automobiles cahotaient et tanguaient le long des chemins et débarquaient leurs passagers aux portes du chantier. C'était pour la plupart d'entre eux la fin du voyage. Une puissante cohorte de gardiens les attendait à l'entrée. Inutile de promettre ou de soudoyer, seule la présentation des billets couleur chamois, si convoités, leur permettait de passer. Ils se dispersaient donc et rejoignaient la foule nombreuse qui s'assemblait déjà au flanc de la colline et qui en couvrait le sommet d'une masse serrée de spectateurs. On aurait dit les collines d'Epsom le jour du Derby. À l'intérieur du chantier, certaines zones avaient été délimitées, et les catégories de privilégiés étaient conduites jusqu'à l'enclos spécifique auquel elles avaient été affectées. Il y en avait un pour les pairs, un pour les membres de la Chambre des Communes, un pour les présidents de sociétés savantes et pour les célébrités du monde scientifique, parmi lesquelles Le Pellier de la Sorbonne et le Dr. Driesinger de l'Académie de Berlin. Un enclos privé spécial avec sac de sable et toit en tôle ondulée avait été réservé pour trois membres de la famille royale.

À onze heure et quart une caravane d'autocars amena de la gare les invités de marque. Je descendis jusqu'au chantier pour assister à la réception. Le Professeur Challenger se tenait près de l'enclos réservé à l'élite, resplendissant dans sa redingote, son gilet blanc et son haut-de-forme rutilant. Son expression était un mélange de bienveillance hautaine et presque blessante et de suffisance des plus pompeuses.

---

7. **learned**, comme adjectif, au sens de savant, se prononce avec deux syllabes ['lɜːnid].

8. **Society** : désigne des sociétés de savants etc. ou des associations à but non lucratif, mais jamais des sociétés commerciales (**companies**).

9. **to assist** : en anglais moderne, faux ami qui ne peut signifier qu'aider, prêter assistance. *Assister* : **to witness**. À l'époque de Conan Doyle, **to assist at a ceremony,a reception**, signifiait *prendre part à, assister à.* On dirait aujourd'hui **to attend (a meeting**, etc.).

10. **burnished** : *poli, bruni, satiné, lustré, brillant.*

11. **portentous** : *1) de mauvais augure, sinistre, funeste ; 2) merveilleux, incroyable ; 3) pompeux.*

'Clearly a typical victim of the Jehovah[1] complex, as one of his critics[2] described him. He assisted in[3] conducting and occasionally in propelling his guests into their proper places, and then, having gathered the *élite* of the company around him, he took his station upon the top of a convenient hillock and looked around him with the air of the chairman[4] who expects some welcoming applause. As none was forthcoming[5] he plunged at once into his subject, his voice booming to the farthest extremities of the enclosure.

'Gentlemen,' he roared, 'upon this occasion I have no need to include the ladies. If I have not invited them to be present with us this morning it is not, I can assure you, for want of appreciation, for I may say' – with elephantine humour and mock modesty – 'that the relations between us upon both sides have always been excellent, and indeed intimate[6]. The real reason is that some small element of danger is involved in our experiment, though it is not sufficient to justify the discomposure[7] which I see upon many of your faces. It will interest the members of the Press to know that I have reserved very special seats for them upon the spoil banks which immediately overlook the scene of the operation. They have shown an interest which is sometimes indistinguishable from impertinence in my affairs, so that on this occasion at least they cannot complain that I have been remiss[8] in studying their convenience. If nothing happens, which is always possible, I have at least done my best for them. If, on the other hand, something does happen, they will be in an excellent position to experience and record it, should they ultimately[9] feel equal to the task.

---

1. **Jehovah** : Dieu dans l'ancien testament.
2. **critic** : attention à ce mot qui signifie *un(e) critique (de cinéma, etc.) ; la critique (littéraire, etc.)* : **the critics** ; *une critique (reproche)* : **a criticism.**
3. **He assisted in...** : suivi de in + verbe + ing, ne peut avoir que le sens d'aider.
4. **chairman** : président d'une réunion, d'une société, qui occupe le siège du président. L'anglais moderne utilise aussi **chairwoman, chairperson**, ou plus familièrement **chair. To chair a meeting** : *presider une réunion.*

« Un cas typique du complexe de Jehovah », pour citer un de ses critiques. Il aidait à conduire et à l'occasion à projeter ses invités à la place qui leur était affectée. Après avoir rassemblé autour de lui l'élite de l'assistance, il prit position au sommet d'un monticule confortable et promena ses regards alentour tel un président qui s'attend à être salué par des applaudissements. Comme rien ne venait, il se lança aussitôt dans son sujet, sa voix résonnant jusqu'aux confins de l'enclos.

« Messieurs », rugit-il, « en l'occurrence je n'ai pas à inclure les dames. Si je ne les ai pas invitées à être parmi nous ce matin, ce n'est pas, croyez-moi, par manque d'intérêt, car je puis dire » – avec un humour éléphantesque et une feinte modestie – « que les relations entre nous ont toujours été excellentes de part et d'autre, je dirais même intimes. La véritable raison est que notre expérience comporte quelque élément de risque, bien qu'il ne justifie pas le trouble que je vois se peindre sur beaucoup de vos visages. Ces messieurs de la Presse apprécieront de savoir que je leur ai réservé des places toutes spéciales sur les terrils qui dominent directement le théâtre des opérations. Ils ont manifesté pour mes affaires un intérêt parfois équivalent à de l'impertinence, si bien qu'à cette occasion au moins ils ne pourront pas se plaindre de mon indifférence à leur confort. Si rien ne se produit, ce qui est toujours possible, j'aurai au moins agi de mon mieux envers eux. Si, au contraire, il se produit bien quelque chose, ils seront excellemment placés pour y assister et le chroniquer – s'ils se sentent toutefois à la hauteur de cette tâche.

---

5. **forthcoming** : *1) à venir, prochain ; 2) disponible, qui se manifeste ; 3) ouvert, cordial.*
6. Conan Doyle s'amuse de la lourdeur de Challenger. Cf. plus haut **elephantine humour**.
7. **discomposure** : *trouble, confusion, fait de perdre son sang-froid ; de s'inquiéter.* Cf. **to lose one's composure**, *perdre son calme, son sang-froid.*
8. **to be remiss** : *être négligent, peu zêlé, insouciant.*
9. **ultimately** : *finalement, en fin de compte, en dernière analyse.*

'It is, as you will readily[1] understand, impossible for a man of science to explain to what I may describe, without undue[2] disrespect, as the common herd[3], the various reasons for his conclusions or his actions. I heard some unmannerly[4] interruptions, and I will ask the gentleman, with the horn spectacles[5] to cease waving his umbrella.' (A voice : 'Your description of your guests, sir, is most offensive.') 'Possibly it is my phrase, "the common herd", which has ruffled[6] the gentleman. Let us say, then, that my listeners are a most uncommon herd. We will not quibble[7] over phrases[8]. I was about to say, before I was interrupted by this unseembly[9] remark, that the whole matter is very fully and lucidly discussed in my forthcoming volume upon the earth, which I may describe with all due modesty as one of the epoch-making books of the world's history'. (General interruption and cries of 'Get down to the facts !' 'What are we here for ?' 'Is this a practical joke ?') 'I was about to make the matter clear, and if I have any further interruption I shall be compelled to take means[10] to preserve decency and order, the lack of which is so painfully obvious. The position is[11], then, that I have sunk a shaft through the crust of the earth and that I am about to try the effect of a vigorous stimulation of its sensory cortex, a delicate operation which will be carried out by my subordinates, Mr. Peerless Jones, a self-styled expert in Artesian borings, and Mr. Edward Malone, who represents myself upon this occasion. The exposed and sensitive substance will be pricked[12], and how it will react is a matter for conjecture.

---

1. **readily** : *volontiers.*
2. **undue** : *indu, excessif.*
3. **the common herd** : *le troupeau commun* (**herd**, *troupeau de bovins*).
4. **unmannerly** : qui porte atteinte aux bonnes manières, *mal-élevé, impoli, discourtois.*
5. **spectacles** : mot vieilli – aujourd'hui **glasses**.
6. **to ruffle** : *1) ébouriffer ; (surface de l'eau) rider, troubler ; 2) (personne) froisser.* **Unruffled** : *imperturbable, qui ne se laisse pas déconcerter.*
7. **to quibble** : *chicaner, ergoter, couper les cheveux en quatre,*

« Comme vous le comprendrez facilement, il est impossible à un homme de science d'expliquer à ce que je peux appeler, sans irrespect, le commun des mortels, les raisons diverses de ses conclusions ou de ses actes. J'ai entendu quelques interruptions grossières, et je prierais le monsieur aux lunettes à monture de corne de cesser d'agiter son parapluie. » (Une voix : « votre description de vos invités, monsieur, est des plus offensantes. ») « Peut-être est-ce mon expression « le commun des mortels », qui a froissé ce monsieur. Disons alors que mes auditeurs sont des mortels bien peu communs. Nous ne chicanerons pas sur les mots. J'allais dire, avant d'être interrompu par cette remarque inconvenante, que tout le sujet est discuté avec beaucoup d'exhaustivité et de lucidité dans mon prochain ouvrage sur la terre, que je puis décrire en toute modestie comme un des livres phares de l'histoire du monde. » (Interruptions générales et cris de « Venez-en aux faits ! », « Qu'est-ce qu'on fait ici ? », « Est-ce une mauvaise plaisanterie ?). « J'étais sur le point de tout expliquer, et si je suis à nouveau interrompu, je serai contraint de prendre des mesures pour préserver la décence et l'ordre, dont l'absence est si péniblement évidente. Le fait est donc que j'ai creusé un puits à travers la croûte terrestre et que je vais tenter d'effectuer une vigoureuse stimulation de son cortex sensoriel ; opération délicate qui sera menée par mes subordonnés, M. Peerless Jones, qui s'auto-proclame expert en forages artésiens, et M. Edward Malone qui me représente en cette occasion. La substance sensible mise à jour sera entamée et sa réaction est de l'ordre de la conjoncture.

---

jouer sur les mots.

8. **phrase** : *expression, locution.* Le français phrase se dit **sentence**.

9. **unseemly** : *inconvenant, malséant, indécent, grossier.*

10. **means** : *moyen.* Même forme au singulier et au pluriel : **a means, two means**.

11. **the position is** : *la situation est la suivante.* **Position** *1) position, place ; 2) emploi, condition, situation, poste ; 3) situation, circonstance ; 4) position, opinion.*

12. **to prick** : *1) piquer,faire une piqûre ; 2) picoter.*

If you will now kindly[1] take your seats these two gentlemen will descend into the pit and make the final adjustments. I will then press the electric button upon this table and the experiment will be complete.'

An audience after one of Challenger's harangues usually felt as if, like the earth, its protective epidermis had been pierced and its nerves laid bare[2]. This assembly was no exception, and there was a dull[3] murmur of criticism and resentment as they returned to their places. Challenger sat alone on the top of the mound, a small table beside him, his black mane and beard vibrating with excitement, a most portentous figure. Neither Malone nor I could admire the scene, however, for we hurried off[4] upon our extraordinary errand[5]. Twenty minutes later we were at the bottom of the shaft, and had pulled the tarpaulin from the exposed surface.

It was an amazing sight which lay before us. By some strange cosmic telepathy the old planet seemed to know that an unheard-of liberty was about to be attempted. The exposed surface was like a boiling pot. Great grey bubbles rose and burst with a crackling report[6]. The air-spaces and vacuoles below the skin separated and coalesced in an agitated activity. The transverse ripples were stronger and faster in their rhythm than before. A dark purple fluid appeared to pulse[7] in the tortuous anastomoses of channels which lay under the surface. The throb of life was in it all.

A heavy smell made the air hardly[8] fit[9] for human lungs[10].

---

1. **kindly : Will you kindly.../Kindly...** + verbe, *ayez l'obligeance, la gentillesse de. Je vous prie de, voulez-vous bien, veuillez*, etc.
2. **to lay (laid, laid) bare** : *mettre à nu, mettre à vif.*
3. **dull** : *1) vague ; 2) ennuyeux, terne ; (personne) borné, obtus ; 3) (son) sourd, étouffé ; 4) (lumière) sans éclat ; 5) (temps) sombre, couvert, gris, maussade ; 6) (économie) stagnante, languissante.*
4. **we hurried off** : ici encore c'est la post-position **off** qui indique le mouvement principal (partir) et le verbe qui précise la manière (en hâte).

Si vous voulez bien maintenant prendre vos places, ces deux messieurs vont descendre dans le puits et opérer les ultimes réglages. Je presserai alors le bouton électrique sur cette table et l'expérience sera consommée. »

À la fin d'une harangue de Challenger, les auditoires avaient d'habitude l'impression que, comme pour la terre, leur épiderme protecteur avait été transpercé et leurs nerfs mis à vif. Notre assemblée ne fit pas exception et il y eut un sourd murmure de critiques et de protestations alors qu'on reprenait ses places. Challenger était assis tout seul au sommet du tertre, une petite table à ses côtés, sa crinière et sa barbe noires frémissant d'excitation, silhouette fort impressionnante. Ni Malone ni moi-même ne pûmes admirer le tableau, car nous partîmes en hâte accomplir notre extraordinaire mission. Vingt minutes plus tard nous avions touché le fond du puits et retiré la bâche de la surface mise à nu.

Un spectacle stupéfiant s'offrit à nous. Par quelque étrange télépathie cosmique, la vénérable planète semblait savoir qu'une liberté inouïe allait être prise. La surface découverte était en bouillonnement. De grosses bulles grises montaient et éclataient avec des détonations crépitantes. Les petites poches d'air et les vacuoles sous la surface se séparaient et se combinaient dans une activité fébrile. Les ondes transversales avaient un rythme plus marqué et plus rapide que précédemment. Un liquide violet foncé semblait palpiter dans le réseau tortueux de canaux qui circulait sous la surface. La vie y frémissait partout. Une odeur lourde rendait l'air à peine propre à la respiration.

---

5. **errand** : *commission, course ; mission.* **To run errands**, *faire les courses, les commissions.*
6. **report** : *détonation, explosion, bruit d'un coup de feu.*
7. **to pulse** : *battre, palpiter.* **The pulse**, *le pouls.*
8. **hardly** : *à peine.* Attention, pour dire dur, durement employer **hard**, qui est à la fois adjectif et adverbe : **to work hard**.
9. **fit** : *1) qui convient, adapté, compatible ; 2) (personne) en forme.* **To fit, fit, fit** : *convenir, aller, correspondre.*
10. **lung(s)** : *poumon(s).*

My gaze[1] was fixed upon this strange[2] spectacle when Malone at my elbow[3] gave a sudden gasp[4] of alarm. 'My God, Jones !' he cried. 'Look there !'

I gave one glance, and the next instant I released the electric connection and I sprang[5] into the lift. 'Come on !' I cried. 'It may be a race for life !'

What we had seen was indeed alarming. The whole lower shaft, it would seem, had shared in the increased activity which we had observed below, and the walls were throbbing and pulsing in sympathy. This movement had reacted upon the holes in which the beams rested[6], and it was clear that with a very little further retraction – a matter of inches – the beams would fall. If they did so then the sharp end of my rod would, of course, penetrate the earth quite independently of the electric release. Before that happened it was vital that Malone and I should be out of the shaft. To be eight miles down in the earth with the chance any instant of some extraordinary convulsion taking place was a terrible prospect[7]. We fled[8] wildly[9] for the surface.

Shall either of us ever forget that nightmare journey ? The lifts whizzed and buzzed and yet the minutes seemed to be hours. As we reached each stage we sprang out, jumped into the next lift, touched the release and flew[10] onwards. Through the steel latticed roof we could see far away the little circle of light which marked the mouth of the shaft. Now it grew wider and wider, until it came full circle[11] and our glad eyes rested upon the brickwork of the opening.

---

1. **gaze** : *regard fixe, prolongé.* **To gaze** : *regarder fixement* (peut impliquer l'admiration ou l'incapacité de détacher son regard).
2. **strange** : pronociation [streindʒ].
3. **elbow** : *coude.*
4. **gasp** : *halètement, soupir* (de surprise, de terreur). **To gasp** : *haleter, suffoquer.*
5. **to spring, sprang, sprung**, *bondir, sauter, jaillir.*
6. **to rest** : *1) (personne) se reposer ; 2) être posé sur, reposer sur ; 3) être du domaine de, de la responsabilité de.*

J'étais hypnotisé par cet étrange spectacle, quand Malone, à côté de moi, eut soudain un sursaut d'alarme. « Mon Dieu, Jones », s'écria-t-il « Regarde ! »

Je jettais un coup d'œil et l'instant suivant je mis le contact et je sautai dans l'ascenseur. « Vite ! » criai-je, « il y va peut-être de notre vie ! »

Ce que nous avions vu avait de quoi nous alarmer. Toute la base du puits, aurait-on dit, partageait l'activité accrue que nous avions observée au fond, et les parois frémissaient et palpitaient à l'unisson. Le mouvement avait affecté les cavités où s'appuyaient les poutres, et il était clair qu'il suffirait d'une nouvelle rétraction de très faible amplitude – quelques pouces – pour qu'elles s'effondrent. Dans ce cas l'extrémité acérée de ma tige pénétrerait bien sûr dans la terre sans l'intervention de la commande électrique. Avant que cela ne se produise il était vital pour Malone et pour moi d'être sortis du puits. Être à huit milles de profondeur avec le risque à tout moment d'une commotion extraordinaire était une éventualité terrifiante. Nous nous enfuîmes éperdument vers la surface.

Pourrons-nous jamais oublier cette remontée de cauchemar. Les ascenseurs sifflaient et bourdonnaient mais les minutes semblaient des heures. À chaque nouvel étage nous sortions d'un bond pour sauter dans l'ascenseur suivant, pressions la commande et nous envolions. À travers le grillage d'acier du sommet de la cabine nous voyions au loin le petit cercle de lumière qui indiquait l'entrée du puits. Il s'élargit de plus en plus jusqu'à ses dimensions réelles, et nos regards eurent la satisfaction de se poser sur la maçonnerie en brique de l'orifice.

---

7. **prospect(s)** : *perspective(s), avenir, possibilité(s) future(s).*
8. **to flee, fled, fled**, *s'enfuir.*
9. **wildly** : *violemment, furieusement, fièvreusement, follement,* etc.
10. **to fly, flew, flown** : *1) voler ; voyager par avion ; 2) fuir, s'enfuir.*
11. **To come full circle** : *revenir à son point de départ.* Probablement un jeu de mots : le cercle devient plein, retrouve ses vrais dimensions, en même temps que l'ascenseur revient à son point de départ.

Up we shot, and up – and then at last in a glad mad moment of joy and thankfulness we sprang out of our prison and had our feet upon the green sward[1] once more. But it was touch and go[2]. We had not gone thirty paces from the shaft when far down in the depth my iron dart shot into the nerve ganglion of old Mother Earth[3] and the great moment had arrived.

What was it happened ? Neither Malone nor I was in a position to say, for both of us were swept[4] off our feet as by a cyclone and swirled[5] along the grass, revolving round and round like two curling stones upon an ice rink. At the same time our ears were assailed by the most horrible yell that ever yet was heard. Who is there of all the hundreds who have attempted it who has ever yet described adequately that terrible cry ? It was a howl in which pain, anger, menace, and the outraged majesty of Nature all blended into one hideous shriek[6]. For a full minute it lasted, a thousand sirens in one, paralysing all the great multitude with its fierce[7] insistence, and floating away through the still summer air until it went echoing along the whole South Coast and even reached our French neighbours across the Channel. No sound in history has ever equalled the cry of the injured Earth.

Dazed and deafened[8], Malone and I were aware of the shock and of the sound, but it is from the narrative of others that we learned the other details of the extraordinary scene.

---

1. **green sward** : expression vieillie : *gazon, pelouse.*
2. **it was touch and go** : indique une issue incertaine. Peut se traduire par : *ce fut de justesse, il s'en est fallut de peu*, etc.
3. **Mother Earth** : expression reprise aujourd'hui par les écologistes.
4. **to sweep, swept, swept** : *balayer.* Indique un mouvement ample et rapide.
5. **to swirl** : *tourbillonner, tournoyer, faire des remous.* **To be**

Plus haut, encore plus haut et enfin dans un moment de joie et de reconnaissance éperdues, nous jaillîmes de notre prison et posâmes à nouveau le pied sur l'herbe. Il n'était que temps. À peine étions-nous à vingt pas du puits que dans ses profondeurs mon dard d'acier se planta dans le ganglion nerveux de notre vénérable mère la terre. Le grand moment était arrivé.

Que se passa-t-il ? Ni Malone ni moi-même n'étions en situation de le dire, car nous fûmes tous deux soulevés de terre comme par un cyclone et roulés dans l'herbe, tournant sur nous-mêmes comme deux palets sur une patinoire. Au même instant nos oreilles furent percées par le plus horrible hurlement que l'on ait jamais entendu. Qui, parmi les centaines qui ont tenté de le faire, à jamais réuni à décrire exactement ce terrible cri ? S'y mêlaient la souffrance, la colère, la menace, et la majesté outragée de la nature, pour produire une plainte abominable. Cela dura une bonne minute, mille sirènes fondues en une seule, paralysant la nombreuse assistance par sa sauvagerie et sa fureur, et s'éloignant dans l'air calme de l'été, jusqu'à ce que son écho flotte sur toute la côte sud et atteigne même nos voisins français de l'autre côté de la Manche. Aucun son dans toute l'Histoire n'a jamais égalé le cri de la Terre blessée.

Hébétés et assourdis, Malone et moi-même étions conscients du choc et du vacarme, mais c'est de la bouche d'autres témoins que nous reçûmes de plus amples détails sur cet événement extraordinaire.

---

swirled along, *être entraîné, emporté par un tourbillon.*

6. **shriek** : *hurlement, cri de détresse ou de colère.*

7. **fierce** : *féroce ; furieux, violent, implacable.*

8. **to deafen** ['defn], verbe formé sur l'adjectif **deaf** [def], *sourd*, comme **to blacken** sur **black, to shorten** sur **short, to sweeten** sur **sweet**, etc. **The deaf**, *les sourds.* **Deaf and dumb** [dʌm], *sourd-muet.*

The first emergence from the bowels of the earth consisted of the lift cages. The other machinery being against the walls escaped the blast[1], but the solid floors of the cages took the full force of the upward current. When several separate pellets are placed in a blow-pipe they still shoot forth in their order and separately from each other. So the fourteen lift cages appeared one after the other in the air, each soaring[2] after the other, and describing a glorious parabola which landed[3] one of them in the sea near Worthing pier[4], and a second one in a field not far from Chichester. Spectators have averred[5] that of all the strange sights that they had ever seen nothing could exceed that of the fourteen lift cages sailing serenely through the blue heavens.

Then came the geyser. It was an enormous spout of vile treacly[6] substance of the consistence of tar, which shot up into the air to a height[7] which has been computed at two thousand feet. An inquisitive aeroplane, which had been hovering[8] over the scene, was picked off as by an Archie[9] and made a forced landing, man and machine buried[10] in filth. This horrible stuff, which had a most penetrating and nauseous odour, may have represented the life blood[11] of the planet, or it may be, as Professor Dreisinger and the Berlin School maintain, that it is a protective secretion, analogous to that of the skunk, which Nature has provided in order to defend Mother Earth from intrusive[12] Challengers.

---

1. **blast** : *1) coup de vent, rafale ; 2) explosion.* **To blast**, *faire sauter, détruire.*
2. **to soar** : *prendre son essor, s'élancer, s'élever.*
3. **to land** : *1) atterrir, débarquer ; 2) faire atterrir, faire retomber* (c'est le sens ici) ; *3) obtenir* (un emploi, etc.). L'anglais ne disposant pas de verbe pour « amérir » n'est pas choqué par **landed one in the sea** (m.à m. : *en fit atterrir une en mer*).
4. **pier** : *jetée, môle, digue, embarcadère.*
5. **to aver** : *déclarer, affirmer.*

Ce sont les cages d'ascenseurs qui jaillirent les premières des entrailles de la terre. Les autres machines se trouvant le long des parois échappèrent à l'explosion, mais le plancher tout d'une pièce des cages reçut de plein fouet le choc ascendant. Quand plusieurs boulettes sont placées dans une sarbacane, elles en sont chassées l'une après l'autre, séparément. Ainsi les quatorze cages d'ascenseurs apparurent-elles en l'air une par une, chacune s'élevant à la suite de la précédente et décrivant une glorieuse parabole qui se termina pour l'une d'elles en mer près de la jetée de Worthing et pour une seconde dans un champ à proximité de Chichester. Des spectateurs ont témoigné que parmi tous les étranges spectacles auxquels ils avaient pu assister, aucun n'égalait celui des quatorze cages d'ascenseurs planant tranquillement sur un fond de ciel bleu.

Puis vint le geyser. Ce fut un énorme jaillissement d'infecte substance gluante, de la consistance du goudron, qui se projeta jusqu'à une altitude évaluée à deux mille pieds. Un avion trop curieux, qui volait au-dessus de la scène, fut atteint comme par un canon antiaérien et fit un atterrissage forcé, le pilote et la machine recouverts d'immondices. Cette horrible matière, qui avait une odeur des plus pénétrantes et des plus nauséabondes, pouvait représenter le sang vital à la planète, ou il se peut, comme le Professeur Dreisinger et l'École de Berlin le maintiennent, que ce soit une sécrétion protectrice, analogue à celle de la moufette, que la nature a fournie à notre mère la terre pour la protéger des intrusions de Challenger et de ses pareils.

---

6. **treacly** : *collant, gluant.* De **treacle**, *mélasse.*
7. **height** : *hauteur.* Prononciation [hait].
8. **to hover** : *1) planer ; 2) rôder, errer ; 3) hésiter, balancer* (entre deux solutions).
9. **Archie** : *canon anti-aérien.*
10. **to bury** : *enterrer, ensevelir, enfouir.* Prononciation ['beri].
11. **blood** : attention à la prononciation [blʌd].
12. **intrusive** : *indiscret, importun.*

If that were so the prime offender[1], seated on his throne upon the hillock, escaped untarnished[2], while the unfortunate Press were so soaked and saturated, being in the direct line of fire, that none of them was capable of entering decent society for many weeks. This gush of putridity was blown southwards by the breeze, and descended upon the unhappy crowd who had waited so long and so patiently upon the crest of the Downs to see what would happen. There were no casualties[3]. No home was left desolate, but many were made odoriferous, and still carry within their walls some souvenir of that great occasion.

And then came the closing of the pit. As Nature slowly closes a wound[4] from below upwards, so does the Earth with extreme rapidity mend any rent[5] which is made in its vital substance. There was a prolonged high-pitched[6] crash as the sides of the shaft came together, the sound reverberating from the depths and then rising higher and higher, until with a deafening bang the brick circle at the orifice flattened[7] out and clashed together, while a tremor like a small earthquake shook down the spoil banks and piled a pyramid fifty feet high of debris and broken iron over the spot where the hole had been. Professor Challenger's experiment was not only finished, it was buried from human sight for ever. If it were not for the obelisk which has now been erected by the Royal Society it is doubtful[8] if our descendants would ever know the exact site of that remarkable occurence[9].

And then came the grand finale.

---

1. **offender** : *délinquant, contrevenant, malfaiteur, offenseur.*
2. **untarnished** : (métal) *non terni, qui a conservé son éclat ; sans tache, sans souillure.*
3. **casualties** : *morts et blessés lors d'un accident.*
4. **wound** : *blessure*, en langue médicale. Dans la langue de tous les jours, on distingue entre **wound**, *blessure par balle ou à l'arme blanche*, et **injury**, *blessure lors d'un accident.*
5. **rent** : *déchirure, accroc ; fissure, fente.* Cf. le verbe **to rend,**

Si tel était le cas, le principal coupable, siégeant sur son trône sur le monticule, échappa à la sanction, alors que les infortunés représentants de la Presse, en plein dans la ligne de mire, furent tellement trempés et inondés qu'aucun ne put se présenter en société pendant des semaines. Le nuage putride fut poussé vers le sud par la brise, et descendit sur la foule des malheureux qui avaient attendu si longtemps et avec tant de patience au sommet des collines pour voir ce qui allait se passer. Il n'y eut pas de victimes. Aucun domicile ne fut ravagé, mais beaucoup devinrent odorants, et conservent encore en leurs murs un souvenir de cet événement.

Vint ensuite la fermeture du puits. De même que la Nature cicatrise lentement une blessure en terminant par la surface, de même la Terre répare avec une extrême rapidité les déchirures faites à sa substance vitale. On entendit un craquement aigu et prolongé quand les deux côtés du puits se rejoignirent, le son venant des profondeurs pour monter toujours plus haut jusqu'à ce que le cercle de briques du sommet s'effondre pêle-mêle dans un vacarme assourdissant, tandis qu'un tremblement digne d'un petit séisme secouait les terrils et entassait gravats et ferrailles brisées en une pyramide de cinquante pieds à l'emplacement même de l'orifice du puits. L'expérience du Professeur Challenger était non seulement terminée, elle était pour toujours effacée de la vue des hommes. N'était l'obélisque maintenant dressé par la Société Royale, nos descendants n'auraient probablement jamais connu le lieu exact de ce remarquable épisode.

Vint ensuite le grand final.

---

rent, rent, *déchirer.*

6. **high-pitched** : *haut-perché.* **Pitch** : *registre.*

7. **to flatten** : *aplatir, aplanir ; s'aplatir.* Formé sur l'adjectif **flat**, *plat*, comme **to blacken** sur **black**, etc.

8. **doubtful** : Attention à la prononciation, le « b » n'est pas prononcé ; **doubt** [daut], *doute,* ['dautful].

9. **occurrence** : *événement.* Du verbe **to occur**, se produire.

For a long period after these successive phenomena[1] there was a hush[2] and a tense stillness as folk[3] reassembled their wits and tried to realize exactly what had occurred[4] and how it had come about. And then suddenly the mighty achievement[5], the huge sweep of the conception, the genius[6] and wonder of the execution, broke[7] upon their minds. With one impulse they turned upon Challenger. From every part of the field there came the cries of admiration, and from his hillock he could look down upon the lake of upturned faces broken only by the rise and fall of the waving[8] handkerchiefs. As I look back I see him best as I saw him then. He rose from his chair, his eyes half closed, a smile of conscious merit upon his face, his left hand upon his hip, his right buried in the breast[9] of his frock-coat. Surely that picture will be fixed for ever, for I heard the cameras clicking round me like crickets in a field. The June sun shone golden upon him as he turned gravely bowing to each quarter of the compass[10]. Challenger the super scientist, Challenger the arch-pioneer, Challenger the first man of all men whom Mother Earth had been compelled to recognize.

Only a word by way of epilogue. It is of course well known that the effect of the experiment was a world-wide one. It is true that nowhere did the injured planet emit such a howl as at the actual point of penetration, but she showed that she was indeed one entity by her conduct elsewhere. Through every vent[11] and every volcano she voiced her indignation.

---

1. **phenomena** : le singulier est **phenomenon**.
2. **hush** : cf. **to hush**, *faire taire, imposer silence, calmer.* **Hush** ! *chut* !
3. **folk** [fəʊk] ou **folks**, aujourd'hui d'un emploi familier. En composition, **folk-dance, folk-music**, signifie *traditionnel, populaire.* **My folks**, (familier) *mes parents.* Notez que le « l » n'est pas prononcé.
4. **occurred** : prétérit de **to occur**. Notez le redoublement du « r » dû au fait que l'accent tonique tombe sur la deuxième syllabe.
5. **achievement** : *réussite, accomplissement.* **To achieve** : *accomplir, réaliser, réussir.*

Pendant un long moment après ces phénomènes successifs, le silence et un calme tendu régnèrent tandis que les gens rassemblaient leurs esprits et essayaient de comprendre ce qui s'était passé et comment cela s'était produit. Puis soudain l'énormité de l'exploit, la puissance et l'ampleur de la conception, le génie admirable de l'exécution frappèrent les esprits. D'un même mouvement ils se tournèrent vers Challenger. Des quatre coins du terrain jaillirent des cris d'admiration. Depuis son tertre il dominait une mer de visages tournés vers lui, avec pour seul mouvement la houle des mouchoirs agités. C'est l'image que j'ai gardée de lui. Il se leva de son siège, les yeux mi-clos, souriant, conscient de son mérite, la main gauche sur la hanche, la droite enfoncée dans le haut de sa redingote. Cette image sera sûrement fixée pour toujours, car j'entendais les appareils photographiques cliqueter alentour comme des sauterelles dans les champs. Le soleil de juin le dorait de ses rayons tandis qu'il se tournait pour saluer gravement les quatre points cardinaux. Challenger l'homme de science génial, Challenger le grand précurseur, Challenger le premier de tous les hommes que notre mère la Terre ait été obligée de prendre en considération.

Juste un mot en guise d'épilogue. On sait bien sûr que l'expérience eut une répercussion planétaire. Il est vrai que la terre blessée ne poussa nulle part ailleurs un hurlement aussi violent qu'à l'endroit précis de la pénétration, mais elle montra qu'elle constituait certes une entité par son comportement en d'autres lieux. Par toutes ses failles et par tous ses volcans elle exprima son indignation.

---

6. **genius** : attention ! le français « génial » se dit **of genius, brilliant**. L'anglais **genial** signifie *agréable, bienveillant, de bonne humeur.*
7. **to break, broke, broken**, *briser* prend le sens de pénétrer lorsqu'il est suivi de **in, into, upon. To break into** (**a house**, etc), *entrer par effraction, cambrioler.*
8. **to wave** : *(s')agiter, flotter (au vent), onduer, faire signe de la main.*
9. **breast** : *poitrine.*
10. **compass** : *boussole.*
11. **vent** : *orifice, ouverture, passage, cheminée de volcans.*

Hecla bellowed until the Icelanders feared a cataclysm. Vesuvius blew its head off[1]. Etna spewed up[2] a quantity of lava, and a suit of half a million lira damages[3] has been decided against Challenger in the Italian Courts for the destruction of vineyards[4]. Even in Mexico and in the belt of Central America there were signs of intense Plutonic[5] indignation, and the howls of Stromboli filled the whole Eastern Mediterranean. It has been the common ambition of mankind to set the whole world talking. To set the whole world screaming was the privilege of Challenger alone.

(From *The Complete Professor Challenger Stories*)

---

1. **to blow one's head off.** Cf. **to go off one's head**, *devenir fou*, **to blow one's top**, *exploser de colère.*
2. **to spew** : *vomir, cracher, rejeter.*
3. **damages** : au pluriel, comme ici ce mot signifie *dommages et intérêts.* **To sue for damages**, *poursuivre en dommages et*

L'Hécla a rugi au point que les Islandais se mirent à craindre un cataclysme. Le Vésuve est entré en furie. L'Etna a vomi une énorme quantité de lave, et les tribunaux italiens réclament à Challenger un demi-million de lires en dommages et intérêts pour la destruction des vignobles. Même au Mexique et en Amérique centrale on a vu de violentes manifestations de l'indignation tellurique, et les hurlements du Stromboli ont empli tout l'est méditerranéen. Faire parler le monde est une ambition commune. Seul Challenger a réussi à faire hurler la terre entière.

---

intérêts. Au sens de dégât(s), **damage** est un collectif singulier : **Damage is considerable**, *les dégâts sont énormes.*
4. **vineyard**. Attention à la prononciation ['vinjəd]. Mais **vine** [vain], *la vigne*.
5. **Plutonic**, de **Pluto**, Pluton, dieu des enfers chez les grecs.

The Lost Special

Un train spécial disparaît

The confession of Herbert de Lernac, now lying under sentence of death at Marseilles,[1] has thrown a light upon one of the most inexplicable crimes[2] of the century – an incident[3] which is, I believe, absolutely unprecedented in the criminal annals of any country. Although there is a reluctance to discuss the matter in official circles, and little information[4] has been given to the Press, there are still indications[5] that the statement of this arch-criminal is corroborated by the facts, and that we have at last found a solution for a most astounding[6] business. As the matter is eight years old, and as its importance was somewhat obscured by a political crisis[7] which was engaging the public attention at the time[8] it may be as well to state the facts[9] as far as we have been able to ascertain them[10]. They are collated[11] from the Liverpool papers of that date, from the proceedings at the inquest upon John Slater, the engine-driver, and from the records of the London and West Coast Railway Company, which have been courteously put at my disposal. Briefly, they are as follows :

On the 3rd of June, 1890, a gentleman, who gave his name as Monsieur Louis Caratal, desired an interview with Mr. James Bland, the superintendent of the London and West Coast Central Station in Liverpool. He was a small man, middle-aged and dark, with a stoop[12] which was so marked that it suggested some deformity of the spine. He was accompanied by a friend, a man of imposing physique, whose deferential manner and constant attention showed that his position was one of dependence[13].

1. **Marseilles** : comme **Lyons**, s'écrit en anglais avec un « s ».
2. **crime** : peut signifier crime, mais correspondra plus souvent à criminalité, ou affaire criminelle, ou même délit.
3. **incident** : ce mot a souvent une signification plus tragique que le français incident, et peut désigner des événements très graves.
4. **information** : collectif singulier, traduit par un pluriel français.
5. m. à m. : *il y a cependant des indications.*
6. **to astound** : *stupéfier, abasourdir, frapper de stupeur, confondre.*
7. **crisis**, ['kraɪsɪs], pl. ['Kraɪsɪ:z].
8. **at the time** : *à cette époque là* **(at that time)**. Bien distinguer

Les aveux d'Herbert de Lernac, aujourd'hui à Marseille sous le coup d'une condamnation à mort, ont fait la lumière sur une des affaires criminelles les plus inexplicables du siècle, et qui, je crois, n'a pas de précédent dans les annales judiciaires d'un pays quelconque. Bien que les milieux officiels se montrent réticents à aborder le sujet, et que peu d'informations aient été communiquées à la presse, il semble bien que le récit de ce criminel endurci soit corroboré par les faits, et que nous ayons enfin trouvé la solution d'une énigme des plus déroutantes. Comme ces événements remontent à huit ans, et comme leur importance a été quelque peu obscurcie par une crise politique qui retenait l'attention du public à l'époque, il est prudent de les exposer dans toute la mesure où nous avons pu les établir. Nos sources sont les journaux de Liverpool à cette date, le compte rendu de l'enquête sur John Slater, le mécanicien de la locomotive, et les archives de la Compagnie Ferroviaire de Londres et de la Côte Ouest, gracieusement mises à ma disposition. En voici la teneur :

Le 3 juin 1890, un homme, se présentant comme Monsieur Louis Caratal, demanda à être reçu par M. James Bland, le chef de la gare centrale de la compagnie à Liverpool. C'était un petit homme basané d'un certain âge, si voûté que cela suggérait une déformation de la colonne vertébrale. Il était accompagné par un ami au physique imposant dont la déférence et l'attention constante révélaient le statut subalterne.

---

de **at this time**, *aujourd'hui, à notre époque.*

9. m. à m. : *de présenter, de faire connaître les faits.*

10. **to ascertain** : *vérifier, s'assurer de, acquérir la certitude (de, que).*

11. **to collate** : *collationner, rassembler.*

12. **stoop** : *attitude voûtée, dos rond, dos/épaules voûté(es).* ***to stoop*** : *1) se pencher, se baisser ; 2) se tenir courbé, être voûté ; 3) s'abaisser, s'avilir.*

13. **dependence** : *1) situation de dépendance, subordination ; 2) confiance.* Cf. **to depend (on someone/something)** *1) dépendre de ; 2) avoir confiance en.*

This friend or companion, whose name did not transpire[1], was certainly a foreigner, and probably from his swarthy complexion, either a Spaniard[2] or a South American. One peculiarity was observed in him. He carried in his left hand a small black, leather dispatch-box, and it was noticed by a sharp-eyed[3] clerk[4] in the Central office that this box was fastened to his wrist by a strap. No importance was attached to the fact at the time, but subsequent events endowed it with some significance. Monsieur Caratal was shown up[5] to Mr. Bland's office, while his companion remained outside.

Monsieur Caratal's business was quickly dispatched. He had arrived that afternoon from Central America. Affairs of the utmost importance demanded that he should be in Paris without the loss of an unnecessary hour[6]. He had missed the London express. A special must be provided[7]. Money was of no importance. Time was everything. If the company would speed him on his way[8], they might make their own terms[9].

Mr. Bland struck[10] the electric bell, summoned[11] Mr. Potter Hood, the traffic manager, and had the matter arranged in five minutes. The train would start in three-quarters of an hour. It would take that time to ensure[12] that the line should be clear. The powerful engine called Rochdale (No. 247 on the company's register) was attached to two carriages, with a guard's[13] van behind. The first carriage was solely for the purpose of decreasing the inconvenience arising from the oscillation.

---

1. **to transpire** : *s'ébruiter, se répandre. Transpirer* : **to perspire**, (fam.) **to sweat.**
2. **Spaniard** : c'est le nom, l'adjectif étant **Spanish. Spanish** peut aussi être nom pour désigner la langue : **The Spaniards speak Spanish**, *les espagnols parlent espagnol.*
3. **sharp-eyed**, *aux yeux perçants, à la vue perçante.* **To be sharp-eyed**, *avoir l'œil.*
4. **clerk** : GB [KLɑːK], US [KLɜːrk], *employé de bureau, vendeur* (dans un magasin), *commis.*
5. **up** indique que le bureau est à l'étage. Cf. **I'll show you around the house**, *je vais vous faire faire le tour de la maison.* **Show her in !** *Faites-là entrer !*
6. m. à m. : *sans la perte d'une heure inutile.* **Hour** : un des rares mots de l'anglais, avec son dérivé **hourly**, où le « h » initial n'est pas prononcé.

Cet ami ou compagnon, dont le nom ne fut pas mentionné, était certainement un étranger, et probablement, d'après son teint basané, un Espagnol ou un Sud-américain. On constata chez lui une particularité : il tenait de la main gauche une petite valise noire en cuir et un employé particulièrement observateur du bureau de la compagnie remarqua qu'elle était fixée à son poignet par une lanière. On n'attacha pas sur le moment d'importance à ce fait, mais la suite des événements lui conféra une certaine signification. On fit monter Monsieur Caratal jusqu'au bureau de M. Bland, tandis que son compagnon l'attendait à l'extérieur.

Le problème de Monsieur Caratal fut rapidement résolu. Il était arrivé d'Amérique centrale l'après-midi même. Des affaires de la plus haute importance exigeaient sa présence à Paris sans le moindre délai. Il avait manqué l'express pour Londres. Il lui fallait un train spécial. Le prix n'avait pas d'importance. Seul le temps comptait. Si la compagnie pouvait accélérer son départ, leurs conditions seraient les siennes.

M. Bland actionna le timbre électrique, fit venir M. Potter Hood, le responsable du trafic, et la question fut réglée en cinq minutes. Ce train partirait dans trois quarts d'heure. Ce serait le temps nécessaire pour faire en sorte que la voie soit libre. La puissante locomotive appelée Rochdale (N° 247 sur les registres de la compagnie) était attelée à deux wagons, plus un fourgon de queue pour le chef de train. Le premier wagon avait seulement pour but d'atténuer l'inconfort causé par les mouvements pendulaires.

---

7. **to provide** : *fournir, approvisionner.*
8. Cf. **to start on one's way**, *se mettre en route.*
9. m. à m. : *ils pourraient fixer leurs propres conditions.*
10. **to strike, struck, struck**, *frapper.* La vieille forme de participe passé **stricken** ne subsiste qu'en composition : **panic-stricken**, *frappé de panique.*
11. **to summon**, *convoquer, faire venir* (un subordonné). Le mot a un sens très impératif, et équivaut à une injonction (il signifie aussi *assigner, faire comparaître*).
12. Distinguer entre **to insure**, *assurer contre un risque,* **to assure**, *donner l'assurance,* **to ensure**, *faire en sorte de/que,* **to make sure**, *s'assurer de/que, vérifier.*
13. **guard** : Attention à la prononciation. Le « u » n'est pas prononcé. Idem pour **guardian, guarantee**.

The second was divided, as usual, into four compartments, a first-class, a first-class smoking, a second-class, and a second-class smoking. The first compartment, which was nearest to the engine, was the one allotted[1] to the travellers. The other three were empty. The guard of the special train was James McPherson, who had been some years in the service of the company. The stoker[2], William Smith, was a new hand[3].

Monsieur Caratal, upon leaving the superintendent's office, rejoined his companion, and both of them manifested extreme impatience to be off. Having paid the money asked, which amounted to fifty pounds five shillings[4], at the usual special rate of five shillings a mile, they demanded to be shown the carriage, and at once took their seats in it, although they were assured that the better part of an hour must elapse before the line could be cleared. In the meantime a singular coincidence had occurred in the office which Monsieur Caratal had just quitted.

A request for a special is not a very uncommon circumstance in a rich commercial centre, but that two should be required[5] upon the same afternoon was most unusual. It so happened[6], however, that Mr. Bland had hardly dismissed[7] the first traveller before a second entered with a similar request. This was a Mr. Horace Moore, a gentlemanly man of military appearance, who alleged[8] that the sudden serious illness of his wife in London made it absolutely imperative that he should not lose[9] an instant in starting upon the journey[10].

---

1. **to allot** : *attribuer, assigner, affecter, destiner ; répartir, distribuer.*
2. **stoker** : son rôle était d'alimenter en charbon le foyer de la locomotive. De **to stoke**, *charger, entretenir alimenter un foyer, un four.*
3. **hand** : *employé, ouvrier, matelot.* **Farm-hand**, *ouvrier agricole*, **factory-hand**, *ouvrier d'usine.*
4. **shilling** : jusqu'en 1971, pièce qui valait 12 pennies, ou un vingtième de livre.
5. **to require** : *demander, exiger, réclamer, avoir besoin de.*
6. m. à m. : *il arrive ainsi : il se fit que.*

Le second était divisé, comme d'habitude, en quatre compartiments, un de première classe, une première classe fumeurs, un de seconde classe, et une seconde classe fumeurs. Le premier compartiment, le plus proche de la locomotive était celui qui avait été affecté aux voyageurs. Les trois autres étaient vides. Le chef du train spécial était James McPherson, au service de la compagnie depuis quelques années. Le chauffeur, William Smith, était une nouvelle recrue.

Monsieur Caratal, en quittant le bureau du chef de gare, rejoignit son compagnon et tous deux manifestèrent leur extrême impatience de partir. Ayant versé l'argent demandé, qui se montait à cinquante livres et cinq shillings, au taux spécial habituel de cinq shillings par mille, ils exigèrent qu'on leur montre la voiture. Ils y prirent place immédiatement, bien qu'on les eût prévenus que près d'une heure s'écoulerait avant que la ligne soit dégagée. Entre temps une coïncidence troublante s'était produite dans le bureau que Monsieur Caratal venait de quitter.

Une requête pour un spécial n'est pas un événement très rare dans une grande ville commerciale prospère, mais deux le même après-midi étaient des plus inhabituelles. Et pourtant, à peine M. Bland en avait-il terminé avec le premier voyageur qu'il en arrivait un second avec une demande semblable. Il s'agissait d'un M. Horace Moore, un homme distingué d'allure militaire, qui affirmait que la grave et soudaine maladie de sa femme à Londres rendait absolument impératif son départ immédiat.

---

7. **to dismiss** : *renvoyer, congédier, remercier ; écarter, rejeter.*
8. **to allege** : *alléguer, prétendre* [a'ledʒ]. Très utilisé pour désigner un suspect dont la culpabilité n'est pas officiellement prouvée : **the alleged killer**, *le meurtrier présumé.*
9. **to lose, lost, lost** : *perdre.* Ne pas confondre avec l'adjectif **loose** [lu:s], *lâche, relaché, détendu, peu serré.* Un perdant : **a loser**.
10. m. à m. : *qu'il ne perde pas un instant en entreprenant le voyage.*

His distress and anxiety were so evident that Mr. Bland did all that was possible to meet his wishes. A second special was out of the question, as the ordinary local service was already somewhat deranged by the first. There was the alternative, however, that Mr. Moore should share the expense of Monsieur[1] Caratal's train, and should travel in the other empty first-class compartment, if Monsieur Caratal objected to having[2] him in the one which he occupied. It was difficult to see any objection to such an arrangement, and yet Monsieur Caratal, upon the suggestion being made to him[3] by Mr. Potter Hood, absolutely refused to consider it for an instant. The train was his, he said, and he would insist upon the exclusive use of it. All argument failed to overcome[4] his ungracious[5] objections, and finally the plan had to be abandoned. Mr. Horace Moore left the station in great distress, after learning that his only course[6] was to take the ordinary slow train which leaves Liverpool at six o'clock. At four thirty-one exactly by the station clock the special train, containing the crippled[7] Monsieur Caratal and his gigantic companion, steamed out[8] of the Liverpool station. The line was at that time clear, and there should have been no stoppage before Manchester[9].

The trains of the London and West Coast Railway run over the lines of another company as far as this town, which should have been reached by the special rather[10] before six o'clock.

---

1. **Monsieur** : sauf à la fin du récit, l'auteur fait systématiquement précéder le nom de Caratal de « monsieur » pour insister sur sa nationalité.
2. **to having** : *au fait d'avoir.* **« Having »** est ici un nom verbal précédé de la préposition **« to »**.
3. m. à m. : *la suggestion lui étant faite.* **Upon** indique l'occasion ou le moment où quelque chose se produit. Cf. **once upon a time, there was...**, *il était une fois.*
4. **to overcome** : *surmonter, vaincre, triompher de.*
5. **ungracious** : *désagréable, déplaisant, peu aimable, peu cordial.*
6. **course**, ou **course of action**, *ligne de conduite, politique.*

Sa détresse et son anxiété étaient si évidentes que M. Bland fit tout son possible pour répondre à ses désirs. Un second spécial était hors de question, car le trafic local ordinaire était déjà quelque peu perturbé par le premier. Restait alors la possibilité que M. Moore partage les frais du train de Monsieur Caratal, et voyage dans le compartiment de première laissé vide, si Monsieur Caratal s'opposait à sa présence dans celui qu'il occupait lui-même, il était difficile de trouver une objection à un tel arrangement et pourtant Monsieur Caratal, quand M. Potter Hood le lui suggéra, refusa de l'envisager ne fût-ce qu'un instant. Le train était le sien, dit-il, et il entendait bien en exiger l'utilisation exclusive. Aucun argument n'eut raison de ses objections grossières, et l'idée dut finalement être abandonnée. M. Horace Moore quitta la gare désespéré après avoir appris qu'il n'avait d'autre choix que l'omnibus régulier qui part de Liverpool à six heures. À quatre heures trente et une précises à l'horloge de la gare, le train spécial, transportant Monsieur Caratal, l'infirme, et son compagnon, le géant, s'ébranla hors de la gare de Liverpool. La ligne était alors libre, et aucun arrêt n'était prévu avant Manchester.

Les trains de la Compagnie Ferroviaire de Londres et de la Côte Ouest utilisent les lignes d'une autres compagnie jusqu'à cette ville, que le spécial aurait dû atteindre un peu avant six heures.

---

7. **to cripple** : *estropier, paralyser, rendu infirme.* **A cripple** : *un infirme.* Ce mot n'est plus « politiquement correct », on dira plutôt **a disabled person**.
8. **steamed out** : *le mouvement principal* (départ) est indiqué par la postposition **« out », to steam** indique le type de propulsion, en l'occurence la vapeur. Cf. **the ship sailed out of the harbour**, *le navire sortit du port* (de **to sail**, naviguer à la voile).
9. m. à m. : *il n'aurait dû y avoir aucun arrêt avant Manchester*, au sens de : il n'y avait pas de raison qu'il y eût.
10. m. à m. : *plutôt avant six heures. Comme on dit* **you are rather late, early**, *vous êtes plutôt en retard, en avance*.

At a quarter after six considerable surprise and some consternation were caused amongst[1] the officials at Liverpool by the receipt[2] of a telegram from Manchester to say that it had not yet arrived. An inquiry directed to St. Helens, which is a third of the way between the two cities, elicited[3] the following reply –

'To James Bland, Superintendent[4], Central L. & W. C., Liverpool. – Special passed here at 4.52, well up to time[5]. Dowser, St. Helens.'

This telegram was received at six-forty. At six-fifty a second message was received from Manchester –

'No sign of special as advised[6] by you.'

And then ten minutes later a third, more bewildering –

'Presume some mistake as to proposed running[7] of special. Local train from St. Helens timed[8] to follow it has just arrived and has seen nothing of it. Kindly wire advices[9]. – Manchester.'

The matter was assuming a most amazing aspect, although in some respects the last telegram was a relief to the authorities at Liverpool. If an accident had occurred to the special, it seemed hardly possible that the local train could have passed down the same line without observing it. And yet, what was the alternative ? Where could the train be ? Had it possibly been side-tracked[10] for some reason in order to allow the slower train to go past ? Such an explanation was possible if some small repair had to be effected. A telegram was dispatched to each of the stations between St. Helens and Manchester,

---

1. **amongst** : cette forme ancienne de **among** a gardé une certaine fréquence.
2. **receipt** : *réception* (fait de recevoir) signifie aussi reçu. Attention à la prononciation [ri'si:t].
3. **to elicit** : *obtenir, provoquer* (une réponse, l'admiration...), *faire jaillir* (la vérité).
4. **superintendent** : indique un poste de direction et de supervision d'un service. Cf. **police superintendent**, *commissaire de police.*
5. **up to** : entre autres sens, peut indiquer le fait d'être au niveau de, à la hauteur de, conforme à. Cf. **up to sample**, *conforme à l'échantillon.*
6. **to advise** : *1) conseiller ; 2) informer, faire savoir ; mettre au courant, avertir, prévenir.*

À six heures et quart, une surprise considérable, et un sentiment de consternation, saisirent les responsables de la compagnie à Liverpool à la réception d'un télégramme de Manchester disant que le train n'était pas encore arrivé. Une question adressée à St Helens, qui se trouve au tiers de la distance entre les deux villes, reçut la réponse suivante :

« A James Bland, chef de réseau gare centrale de la L. & W. C., Liverpool. Le spécial est passé ici à 4 h 52, bien dans les temps. Dowser, St Helens. »

Ce télégramme fut reçu à six heures quarante. À six heures cinquante un second message arriva de Manchester.

« Aucun signe du spécial signalé par vous. »

Puis, dix minutes plus tard, un troisième message, plus déroutant :

« Supposons erreur concernant horaire prévu du spécial. Le train local venant de St Helens programmé pour le suivre vient d'arriver et n'en a rien vu. Merci de câbler nouvelles. Manchester. »

L'affaire prenait une tournure des plus surprenantes, même si, à certains égards, le dernier télégramme était un soulagement pour les autorités de Liverpool. Si le spécial avait été victime d'un accident, il paraissait peu vraisemblable que le train local ait pu circuler sur la même voie sans l'apercevoir. Et pourtant, quelle autre solution envisager ? Où le train pouvait-il se trouver ? Avait-il pu être mis sur une voie de garage pour une raison quelconque afin de laisser le passage au convoi plus lent ? Cette explication devenait vraisemblable si une réparation mineure avait dû être effectuée. Un télégramme fut envoyé à chacune des gares entre St Helens et Manchester,

---

7. **to run, ran, run** : ici au sens de faire rouler, faire circuler, faire fonctionner. Cf. **to run an extra-train**, *mettre en service un train supplémentaire.*
8. **to time** : *1) fixer l'heure, le moment, choisir le moment, programmer* (dans le temps) *; 2) chronométrer.*
9. **advice** : signifie en général conseil(s), et est alors un collectif singulier. Mais peut aussi, comme ici, être pluriel au sens de nouvelles, informations, en général commerciales et venant de loin. Cf. **advices from our Japanese subsidiary**, *nouvelles de notre filiale japonaise.*
10. **to side-track** : *1) garer, aiguiller sur une voie de garage ; 2) remettre à plus tard, abandonner provisoirement, mettre sur une voie de garage* (projet).

and superintendent and traffic manager waited in the utmost suspense at the instrument for the series of replies which would enable them to say for certain what had become of the missing train. The answers came back in the order of questions, which was the order of the stations beginning at the St. Helens end[1] –

'Special passed here five o'clock. – Collins Green.'

'Special passed here six past five. – Earalestown.'

'Special passed here 5.10. – Newton.'

'Special passed here 5.20. – Kenyon Junction.'

'No special train has passed here. – Barton Moss.'

The two officials[2] stared[3] at each other in amazement.

'This is unique[4] in my thirty years of experience,' said Mr. Bland.

'Absolutely unprecedented and inexplicable, sir. The special has gone wrong[5] between Kenyon Junction and Barton Moss.'

'And yet there is no siding, so far as my memory serves me, between the two stations; The special must have run off the metals[6].'

'But how could the four-fifty parliamentary[7] pass over the same line without observing it ?'

'There's no alternative, Mr. Hood. It *must* be so. Possibly the local train may have observed something which may throw some light upon the matter. We will wire to Manchester for more information[8], and to Kenyon Junction with instructions that the line be[9] examined instantly as far as Barton Moss.'

---

1. **end** : à partir du sens de « extrémité, bout, fin », se prête à de nombreuses expressions comme **from our end**, *de notre point de vue, vu d'ici, etc.*

2. **official** : en anglais, le sens va bien au-delà de membre d'un organisme public ou officiel, mais désigne toute personne en situation d'autorité et de responsabilité.

3. **to stare** : *regarder fixement*, souvent avec étonnement. Le complément est introduit par **at** comme pour tout verbe indiquant la vision : **to look/gaze/peer** etc. **at something, someone**.

4. **unique** : *exceptionnel*, qui ne se produit ou n'existe qu'à un seul exemplaire. Le français « unique » est susceptible de nombreuses traductions : *un fils unique*, **an only son**, *associé unique*, **sole partner**, *sens unique*, **one-way street**.

5. **to go wrong** : *mal se passer, se gâter, avoir des problèmes,*

et le chef de réseau et le responsable du trafic attendirent avec la plus grande impatience auprès de l'appareil la série de réponses qui leur permettrait de dire avec certitude ce qu'il était advenu du train disparu. Les réponses arrivèrent dans le même ordre que les questions, selon la succession des gares à partir de St Helens :

« Spécial passé ici à cinq heures – Collins Green. »

« Spécial passé ici à cinq heures six – Earlestown. »

« Spécial passé ici à cinq heure dix – Newton. »

« Spécial passé ici à cinq heures vingt – Kenyon Junction. »

« Aucun train spécial passé ici – Barton Moss. »

Les deux responsables se regardèrent avec ahurissement.

« Je n'ai jamais vu ça en trente ans d'expérience », dit M. Bland.

« Absolument sans précédent et inexplicable, monsieur. Il est arrivé quelque chose au spécial entre Kenyon Junction et Barton Moss. »

« Et pourtant il n'y a pas de voie de garage, si ma mémoire est bonne, entre ces deux gares. Le spécial doit avoir déraillé. »

« Mais comment l'omnibus de 4 heures 50 pourrait-il être passé sur la même ligne sans le voir ? »

« Il n'y a pas d'autre solution, M. Hood. Il faut qu'il en soit ainsi. Peut-être le train local a-t-il observé quelque chose qui pourrait éclairer la situation. Nous allons télégraphier à Manchester pour plus de détails, et à Kenyon Junction en leur donnant l'instruction de faire examiner la ligne immédiatement jusqu'à Boston Moss. »

échouer. Indique aussi ici ce qui ne devrait pas se passer **(wrong)** par opposition à ce qui est normal **(right)**.

6. **metals** : au pluriel, signifie *les rails.*

7. **parliamentary** : pour **parliamentary train**, *omnibus* ainsi appelé car il s'arrêtait pour prendre ou déposer, à l'origine, des parlementaires allant siéger à Londres ou en revenant.

8. **information** : (rappel) collectif singulier en anglais, ne se met jamais au pluriel.

9. **be** : il s'agit de la forme du subjonctif, identique à celle de l'infinitif. Cf. **God save the Queen**, *que Dieu sauve la Reine.* Emploi normal après les verbes indiquant un ordre, une injonction.

10. **to examine** : attention à la prononciation [ig'zæmin], cf. **to determine** [di'tɜːmin].

The answer from Manchester came within a few minutes[1].

'No news of missing special. Driver and guard of slow train positive no accident between Kenyon Junction and Barton Moss. Line quite clear, and no sign of anything unusual. – Manchester.'

'That driver and guard will have to go[2], said Mr. Bland, grimly[3]. There has been a wreck[4] and they have missed it. The special has obviously run off the metals without disturbing[5] the line – how it could have done so passes my comprehension – but so it must be, and we shall have a wire from Kenyon or Barton Moss presently to say that they have found her[6] at the bottom of an embankment.'

But Mr. Bland's prophecy was not destined to be fulfilled[7]. Half an hour passed, and then there arrived the following message from the station-master of Kenyon Junction –

'There are no traces of the missing special. It is quite certain that she passed here, and that she did not arrive at Barton Moss. We have detached engine from goods train, and I have myself ridden[8] down the line, but all is clear, and there is no sign of any accident.'

Mr. Bland tore[9] his hair in his perplexity.

'This is rank[10] lunacy, Hood !' he cried. 'Does a train vanish into thin air[11] in England in broad daylight ? The thing is preposterous. An engine, a tender, two carriages, a van, five human beings[12] and all lost on a straight line of railway ! Unless we get something positive within the next hour I'll take Inspector Collins, and go down myself.'

---

1. **within** : *à l'intérieur de, dans les limites de*, peut s'appliquer au temps comme à l'espace.
2. **will have to go**, *devront partir*, au sens de devront quitter la compagnie, devront être licenciés.
3. **grimly**, de l'adjectif **grim** : *sinistre, sévère, macabre, menaçant.*
4. **wreck** : *naufrage, accident ; épave.* **A nervous wreck** : *une personne dont les nerfs ont laché, qui a perdu tout ressort.* **To wreck**, *détruire, briser, ruiner, faire échouer ; causer un naufrage ; faire dérailler un train.*
5. **without disturbing the line** : autre traduction : *sans gêner le trafic.* **Line** désigne à la fois la ligne et les rails.
6. **her** : le féminin est employé ici pour le train comme les

La réponse de Manchester arriva au bout de quelques minutes.

« Aucune nouvelle du spécial disparu. Mécanicien et chef de train omnibus affirment pas d'accident entre Kenyon Junction et Barton Moss. Ligne parfaitement libre, et aucun signe d'anomalie quelconque – Manchester. »

« Ce mécanicien et ce chef de train ont fait leur temps », dit sombrement M. Blanc. « Il y a eu un accident et il ne l'ont pas repéré. Le spécial a évidemment déraillé sans endommager les voies. Comment il a pu le faire dépasse mon entendement, mais il faut qu'il en soit ainsi, et nous allons bientôt recevoir un câble de Kenyon ou de Barton Moss nous disant qu'on l'a trouvé sur le bas-côté d'un remblai. »

Mais la prophétie de M. Bland ne devait pas se réaliser. Une demi-heure s'écoula, puis vint le message suivant du chef de gare de Kenyon Junction.

« Il n'y a pas de traces du spécial disparu. Il est tout à fait certain qu'il est passé ici, et qu'il n'est pas allé jusqu'à Barton Moss. Nous avons détaché la locomotive d'un train de marchandises et j'ai moi-même parcouru la ligne, mais elle est entièrement dégagée, et il n'y a pas le moindre signe d'accident. »

M. Bland s'arracha les cheveux de perplexité.

« C'est de la folie pure, Hood ! » s'exclama-t-il.

« Un train peut-il se volatiliser en plein jour en Angleterre ? ça ne tient pas debout. Une locomotive, un tender, deux voitures, un fourgon, cinq être humains, tout cela disparu sur une ligne de chemin de fer bien droite ! À moins qu'on ait quelque chose de précis d'ici une heure, je vais emmener l'Inspecteur Collins et aller voir moi-même. »

---

marins l'emploient pour leur bateau. Cette personnification indique une forte implication affective.

7. **to fulfil** : *accomplir, remplir* (un devoir, etc.), *satisfaire, exaucer.*

8. **to ride, rode, ridden** : *aller à cheval, à bicyclette, en voiture, bus, train.*

9. **to tear, tore, torn** : *déchirer ; arracher.*

10. **rank** : *1) luxuriant, prolifique* (souvent avec sens péjoratif) ; *2) complet, absolu, grossier, criant.*

11. **vanish into thin air** : m. à m. : *s'évanouir dans l'air raréfié.* **Thin**, *mince*, insiste sur l'absence de substance, de consistance.

12. **five human beings** : *le mécanicien, le chauffeur, le chef de train et les deux passagers.*

And then at last something positive did[1] occur. It took the shape of another telegram from Kenyon Junction.

'Regret to report that the dead body of John Slater, driver of the special train, has just been found among the gorse bushes at a point two and a quarter miles[2] from the Junction. Had fallen from his engine, pitched[3] down the embankment, and rolled among bushes. Injuries to his head, from the fall, appear to be cause of death. Ground has now been carefully examined, and there is no trace of the missing train.'

The country was, as has already been stated, in the throes[4] of a political crisis[5], and the attention of the public was further distracted by the important and sensational developments in Paris, where a huge scandal threatened to destroy the Government and to wreck the reputations of many of the leading men in France. The papers were full of these events, and the singular disappearance of the special train attracted less attention than would have been the case in more peaceful times. The grotesque[6] nature of the event helped to detract from[7] its importance, for the papers were desinclined to believe the facts as reported to them. More than one of the London journals[8] treated the matter as an ingenious hoax, until the coroner's[9] inquest upon the unfortunate driver (an inquest[10] which elicited nothing of importance) convinced them of the tragedy of the incident.[11]

Mr. Bland, accompanied by Inspectof Collins, the senior[12] detective officer in the service of the company, went down to Kenyon Junction the same evening,

---

1. **did occur** : forme emphatique. Cf. **I do believe you**, *je vous crois vraiment.*

2. **two and a quarter mile** : 1 mille valant 1609 mètres, ceci équivaut donc à 3620 mètres.

3. **to pitch** : *1) placer, mettre, dresser ; 2) jeter, lancer ; 3) tomber, plonger ; 4)* (navire) *tanguer.*

4. **throes** : *douleurs, angoisse, agonie.* **The throes of death**, *les affres de la mort, l'agonie.*

5. **crisis** ['kraɪsɪs], pl. crises ['kraɪsi:z].

6. **grotesque** : *absurde, fantastique, incongru, risible.*

7. **to detract (from)** : *abaisser, amoindrir.*

8. **journals** : employé ici au sens de *quotidiens.* On dirait aujourd'hui **a daily**, pl. **dailies**. En anglais moderne, **journal**

C'est alors qu'enfin il y eut du nouveau. Cela prit la forme d'un autre télégramme de Kenyon Junction.

« Désolé signaler que le corps sans vie de John Slater, le mécanicien du train spécial vient d'être retrouvé dans les buissons d'ajoncs à trois kilomètres et demi de l'embranchement. Est tombé de sa machine, a basculé en bas du remblai et roulé dans les ajoncs. Blessures à la tête, dues à la chute, semblent être cause décès. Terrain a maintenant été examiné soigneusement et il n'y a aucune trace du train disparu. »

Le pays était, comme on l'a déjà dit, au milieu d'une crise politique, et l'attention du public était en outre détournée par des développements graves et sensationnels à Paris, où un énorme scandale menaçait de faire tomber le gouvernement et de ruiner la réputation d'un grand nombre de dirigeants français. Les journaux étaient pleins de ces événements et la disparition singulière d'un train spécial attirait moins l'attention qu'elle ne l'aurait fait dans des périodes plus calmes. La nature invraisemblable de l'affaire contribuait à minorer son importance, car les journaux étaient peu enclins à admettre les faits tels qu'ils leur étaient rapportés. Plus d'un quotidien londonien traita l'histoire comme un canular astucieux, jusqu'à ce que l'enquête du coroner sur l'infortuné mécanicien (enquête qui ne révéla rien d'important) les convainquît de la réalité de la tragédie.

M. Bland, accompagné de l'Inspecteur Collins, le détective principal au service de la compagnie, se rendit à Kenyuon Junction le soir même,

---

signifie surtout journal de bord, compte-rendu, journal de voyage.

9. **coroner** : *officier civil chargé de déterminer les causes d'une mort violente ou subite.*

10. **inquest** : *enquête judiciaire* (en particulier celle du coroner).

11. **incident** : comme on l'a vu précédemment, ce mot peut correspondre à un « événément » grave. Il est plus proche de ce mot que du français « incident ».

12. **senior** : signifie au départ *plus âgé*, mais a aussi pris le sens de *situé plus haut dans la hiérarchie, ou disposant de plus d'autorité ou d'influence, ou d'une majorité des fonds dans une société.*

and their research lasted throughout the following day, but was attended[1] with purely negative results. Not only was no trace found of the missing train,but no conjecture could be put forward which could possibly explain the facts. At the same time, Inspector Collins's official report (which lies before me as I write) served to show that the possibilities were more numerous than might have been expected.

'In the stretch[2] of railway between these two points,' said he, 'the country is dotted[3] with ironworks and collieries. Of these, some are being worked[4] and some have been abandoned. There are no fewer than twelve which have small gauge[5] lines which run trolley-cars down to the main line. These can, of course, be disregarded[6]. Besides these, however, there are seven which have, or have had, proper lines running down and connecting with points to the main line, so as to convey[7] their produce[8] from the mouth of the mine to the great centres of distribution. In every case these lines are only a few miles in length. Out of the seven, four belong to collieries which are worked out, or at least to shafts which are no longer used. These are the Redgauntlet, Hero, Slough of Despond, and Heartsease mines[9], the latter having ten years ago been one of the principal mines in Lancashire. These four side lines may be eliminated from our inquiry, for, to prevent possible accidents, the rails nearest to the main line have been taken up, and there is no longer any connection. There remain three other side lines leading –

---

1. **to attend** : *1) assister à* (cours, concert, etc.) *suivre attentivement ; 2)* **(to something, someone)** *s'occuper de ; 3) accompagner, faire suite à.*
2. **stretch** : *allongement, extension ; étendue, portée ; ligne droite.* **At a stretch**, *d'une seule traite.* **To stretch** : *1) tendre, allonger ; 2) s'étirer, se dégourdir ;* (tissus) *se déformer.*
3. **to dot** : *parsemer, émailler ; éparpiller.* **Dotted line**, *ligne en pointillé.* **A dot** : *un point.*
4. **worked : to work** a souvent le sens de *faire fonctionner, faire marcher, actionner, opérer, exploiter.*
5. **gauge** [geɪdʒ] : *calibre, jauge,* désigne aussi l'écartement des voies de chemin de fer.
6. m. à m. : *celles-ci peuvent, bien sûr être ignorées.* **To disre-**

et leurs recherches durèrent toute la journée suivante, mais ne donnèrent que des résultats négatifs. Non seulement aucune trace du train disparu ne fut retrouvée, mais aucune hypothèse ne put être formée pour expliquer logiquement les faits. Cependant, le rapport officiel de l'Inspecteur Collins (que j'ai devant moi en écrivant ces lignes) tendait à montrer que les éventualités étaient plus nombreuses qu'on aurait pu s'y attendre.

« Le long de cette portion de ligne entre ces deux points, "disait-il" la région est parsemée d'aciéries et de mines de charbon. Parmi celles-ci, certaines sont exploitées, d'autres ont été abandonnées. Pas moins de douze ont des voies à faible écartement qui permettent le passage de wagonnets jusqu'à la ligne principale. Elles ne nous intéressent donc pas. Mais il en existe sept qui disposent, ou ont disposé de voies à écartement standard, qui en partent et les relient à la ligne principale par des aiguillages, de façon à transporter leur production du carreau de la mine jusqu'aux grands centres de distribution. Aucune de ces lignes ne fait plus de quelques kilomètres de long. Sur les sept, quatre desservent des mines épuisées, ou en tous cas des puits qui ne sont plus exploités. Il s'agit des mines de Redgauntlet, Hero, Slough of Despond and Heartsease, cette dernière ayant été il y a dix ans l'une des mines les plus importantes du Lancashire. Ces quatre voies de raccordement peuvent être éliminées de notre enquête car, pour éviter d'éventuels accidents, les rails les plus proches de la ligne principale ont été arrachés, et il n'y a plus d'embranchement. Restent trois voies de raccordement conduisant :

---

gard, *ne pas tenir compte de, négliger, passer outre.*

7. **to convey** : *1) transporter, amener, conduire ; 2) transmettre, communiquer.*

8. **produce** : collectif singulier, qui aujourd'hui désigne surtout les produits de l'agriculture. **Farm produce**, *produits agricoles*, **dairy produce**, *produits laitiers.* Au singulier, employer **product : a farm product**, *un produit agricole*.

9. **Slough of Despond** : abîme du désespoir. De **despond**, *découragement* (inusité aujourd'hui en dehors de cette expression, mais l'adjectif **despondent** *découragé, abattu,* a survécu), et de **slough** [slau], *bourbier, fondrière, terrain marécageux.* **Heartsease de Heart's ease** *pensée sauvage* (m. à m. : *le bien-être du cœur*). Attention à la prononciation de **heart** : [hɑːt].

(a) To the Carnstock Iron Works ;
(b) To the Big Ben Colliery ;
(c) To the Perseverance Colliery.

'Of these the Big Ben line is not more than a quarter of a mile long, and ends at a dead wall[1] of coal waiting removal from the mouth of the mine. Nothing had been seen or heard there of any special. The Carnstock Iron Works line was blocked all day upon the 3rd of June by sixteen truckloads[2] of hematite[3]. It is a single line and nothing could have passed. As to the Perseverance line, it is a large double line, which does a considerable traffic, for the output of the mine is very large. On the 3rd of June this traffic proceeded[4] as usual ; hundreds of men including a gang[5] of railway platelayers[6], were working along the two miles and a quarter which constitute the total length of the line, and it is inconceivable that an unexpected train could have come down there without attracting universal attention. It may be remarked in conclusion that this branch line is nearer to St. Helens than the point at which the engine-driver was discovered, so that we have every reason to believe[7] that the train was past that point before misfortune overtook[8] her.

'As to John Slater, there is no clue to be gathered from his appearance or injuries. We can only say that, so far as we can see, he met his end by falling off his engine, though why he fell, or what became of the engine after his fall, is a question upon which I do not feel qualified to offer an opinion.[9]

---

1. **a dead wall** : cf. **to stop dead**, *s'arrêter net,* **a dead-end**, *un cul-de-sac.*
2. **truckload** : de **load**, *chargement, et* **truck**, *wagon ou camion*, d'où charge d'un wagon ou d'un camion.
3. **hematite** : *hématite*, oxyde de fer naturel, de couleur rougeâtre ou brune.
4. **to proceed** : *1) procéder, agir, en venir à ; 2) continuer, poursuivre ; 3) se dérouler, se passer.*
5. **gang** : à l'origine *une équipe d'ouvriers.* Désigne souvent un groupe de personnes dont on parle avec désapprobation, mais peut aussi être utilisé familièrement pour un groupe uni et convivial.

(a) à l'aciérie de Carnstock ;
(b) à la mine de charbon de Big Ben ;
(c) à la mine de charbon de Persévérance.

Des trois, celle de Big Ben ne fait pas plus de 400 mètres, et se termine devant un mur abrupt de charbon attendant d'être enlevé du carreau de la mine. Personne ici n'avait vu ou entendu parler d'un quelconque train spécial. La ligne de l'aciérie de Carnstock est restée bloquée toute la journée du 3 juin par seize wagons chargés d'hématite. C'est une voie unique et rien n'aurait pu y circuler. Quant à la ligne de la houillère de Persévérance, elle est à deux voies d'écartement standard et a une grande activité, car la production de la mine est considérable. Le 3 juin, le trafic y a été normal ; des centaines d'hommes, parmi lesquels une équipe d'ouvriers de la voie ferrée, travaillaient le long des 3 km 500 qui correspondent à la longueur totale de la ligne, et il est inconcevable qu'un train non-prévu ait pu s'y engager sans attirer l'attention générale. On peut noter pour conclure que cet embranchement est plus proche de St Helens que l'endroit où le corps du mécanicien a été retrouvé, de sorte que tout porte à croire que le train l'avait dépassé avant que le malheur ne le frappe.

« Quand à John Slater, son apparence et ses blessures ne fournissent aucun indice. On peut simplement dire, au vu de ce que l'on sait, qu'il a trouvé la mort en tombant de sa machine, mais la cause de sa chute, ou ce qu'il advint ensuite de la locomotive, voilà une question à laquelle je n'aurai pas la présomption de répondre.

---

6. **plate-layers** : *1) poseur de rails, de voies ; 2) ouvrier de la voie.* De **plate**, *plaque*, et **to lay**, *poser*.
7. m. à m. : *nous avons toutes les raisons de croire.*
8. m. à m. : *avant que le malheur ne le rattrape.* **To overtake/took/taken** : *dépasser* ; s'emploie pour des catastrophes ou des événements soudains : **Dorkness overtook us**, *nous fûmes surpris par la nuit*, **overtaken by a storm**, *surpris par un orage*, **the catastrophe overtook many people**, *la catastrophe toucha beaucoup de gens.*
9. m. à m. : *je ne me sens pas compétent/qualifié pour donner une opinion/proposer une explication.*

In conclusion, the inspector offered his resignation to the Board[1], being much nettled[2] by an accusation of incompetence in the London papers.

A month elapsed during which both the police and the company prosecuted their inquiries without the slightest success. A reward was offered and a pardon promised[3] in case of crime, but they were both unclaimed[4]. Every day the public[5] opened their papers with the conviction that so grotesque a mystery would at last be solved, but week after week passed by, and a solution remained as far off as ever. In broad daylight, upon a June afternoon in the most thickly inhabited portion of England, a train with its occupants had disappeared as completely as if some master of subtle[6] chemistry had volatized it into gas[7]. Indeed, among the various conjectures which were put forward in the public press, there were some which seriously asserted that supernatural, or, at least, preternatural[8], agencies had been at work, and that the deformed Monsieur Caratal was probably a person who was better known under a less polite name. Others fixed upon his swarthy companion as being the author of the mischief[9], but what it was exactly which he had done could never be clearly formulated in words[10].

Amongst the many suggestions put forward by various newspapers or private individuals, there were one or two which were feasible enough to attract the attention of the public. One which appeared in *The Times*, over the signature[11] of an amateur reasoner of some celebrity at that date, attempted to deal with the matter in a critical and semi-scientific manner.

---

1. **Board : Board of Directors**, *Conseil d'administration.*
2. **nettled : to nettle**, *piquer, irriter, vexer.* **Nettle** : *ortie.*
3. **to promise** : attention à la prononciation ['promɪs].
4. **unclaimed** : *non réclamé, non revendiqué.* Contraire de **claimed**, *réclamé, revendiqué.*
5. **public** : peut être suivi du singulier ou du pluriel **(The public is/are...)**.
6. **subtle** : prononciation [sʌtl]. Le « b » n'est pas prononcé.
7. **volatized it into gas** : inutile de traduire **into gas** en fran-

En conclusion, l'Inspecteur remettait sa démission au Conseil d'administration, très affecté qu'il était par son accusation d'incompétence par les journaux londoniens.

Un mois s'écoula, pendant lequel la police et la compagnie poursuivirent leur enquête sans le moindre succès. Une récompense fut offerte et l'amnistie promise en cas d'infraction, mais personne ne les revendiqua. Le public ouvrait chaque jour les journaux avec la certitude qu'un mystère aussi extravagant allait enfin être résolu, mais les semaines se suivaient, et la solution restait toujours aussi éloignée. En plein jour, par un après-midi de juin au cœur de la région la plus peuplée d'Angleterre, un train et ceux qu'il transportait avaient disparu aussi totalement que si quelque sorcier de la chimie les avaient fait se volatiliser. De fait, parmi les diverses hypothèses avancées dans la presse, certaines soutenaient sérieusement que des pouvoirs surnaturels, ou au moins paranormaux avaient été à l'œuvre, et que Monsieur Caratal, avec sa difformité, était probablement mieux connu sous un nom moins respectable. D'autres désignaient son compagnon basané comme l'auteur du mauvais coup, sans pouvoir formuler précisément en quoi celui-ci consistait réellement.

Parmi les nombreuses suggestions faites par divers journaux ou simples particuliers, une ou deux étaient assez vraisemblables pour retenir l'attention du public. L'une d'elle, publiée dans le Times, avec la signature d'un rationaliste amateur assez connu à l'époque, tentait de traiter l'affaire avec une approche critique et semi-scientifique.

çais, puisque volatiliser signifie justement « faire passer à l'état gazeux ».

8. **preternatural** : *qui sort du cours ordinaire, normal des choses.*

9. **mischief** : *mal, mauvais coup, dommage, dégâts, zizanie, discorde.*

10. m. à m. : *mais ce que c'était exactement qu'il avait fait ne put jamais être clairement formulé par des mots.*

11. **over the signature**, m. à m. : *au-dessus de la signature.*

An extract must suffice[1], although the curious can see the whole letter in the issue of the 3rd of July.

'It is one of the elementary principles of practical reasoning,' he remarked[2], that when the impossible has been eliminated the residuum, *however improbable*, must contain the truth. It is certain that the train left Kenyon Junction. It is certain that it did not reach Barton Moss. It is in the highest degree unlikely, but still possible, that it may have taken one of the seven available side lines. It is obviously impossible for a train to run where there are no rails, and, therefore, we may reduce our improbables to the three open lines, namely the Carnstock Iron Works, the Big Ben, and the Perseverance. Is there a secret society[3] of colliers, an English *Camorra*[4], which is capable of destroying both train and passengers ? It is improbable, but it is not impossible. I confess that I am unable to suggest any other solution. I should certainly advise the company to direct all their energies towards the observation of those three lines, and of the workmen at the end of them. A careful supervision of the pawnbrokers' shops[5] of the district might possibly bring some suggestive facts to light.'

The suggestion coming from a recognized authority upon such matters created considerable interest, and a fierce[6] opposition from those who considered such a statement to be a preposterous[7] libel[8] upon an honest and deserving set[9] of men. The only answer to this criticism was a challenge to the objectors to lay[10] any more feasible explanations before the public.

---

1. **must suffice** : *doit suffire*, à la fois au sens de « sera suffisant » et de « il faut se contenter de ». **Suffice it to say that...**, *qu'il nous suffise de dire que...*

2. **he remarked : to remark** ne signifie « remarquer » qu'au sens de « faire une remarque ». Au sens de « constater, découvrir », employer **to notice**.

3. **society** : attention, ce mot ne peut jamais signifier une société au sens de compagnie, entreprise commerciale. Utilisez **company**.

4. **camorra** : association criminelle apparue vers 1830 à Naples et en Sicile. (Cf. La Maffia).

En voici un extrait, mais les curieux pourront lire la totalité de la lettre dans le numéro du 3 juillet.

«Un des principes élémentaires du raisonnement sur les faits », remarquait-il, « est que lorsque l'impossible a été éliminé, le reste quelque improbable qu'il soit, doit correspondre à la vérité. Il est certain que le train est passé à Kenyon Junction. Il est certain qu'il n'est jamais arrivé à Barton Moss. Il est au plus haut point improbable, mais cependant possible, qu'il ait emprunté une des sept voies de raccordement utilisables. Il est évidemment impossible à un train de rouler là où il n'y a pas de rails, et par conséquent, nous pouvons circonscrire notre improbabilité aux trois lignes praticables, à savoir celles de l'aciérie du Carnstock, de Big Ben et de Persévérance. Existe-t-il une société secrète de mineurs, une Camorrà anglaise, capable de détruire à la fois train et passagers ? C'est improbable, mais ce n'est pas impossible. J'avoue être incapable de suggérer une quelconque autre solution. Je conseillerais certainement à la compagnie de consacrer toute son énergie à l'examen de ces trois lignes, et des ouvriers qui travaillent à leurs extrémités. Une visite sérieuse des officines de prêt sur gage des environs pourrait bien faire apparaître des indices intéressants. »

Cette suggestion, venant d'une autorité reconnue dans ce domaine, provoqua un intérêt considérable, et une violente opposition de la part de ceux qui considéraient une telle affirmation comme scandaleusement diffamatoire vis-à-vis d'une corporation honnête et méritante. La seule réponse à ces critiques fut de mettre leurs auteurs au défi de proposer au public des explications plus vraisemblables.

---

5. **pawnbroker** : *prêteur sur gage*, chez qui on peut obtenir un prêt contre le dépôt d'un objet. L'idée est ici que des voleurs ou criminels peuvent y déposer des objets appartenant à leurs victimes contre de l'argent liquide.
6. **fierce** : *violent, brutal, cruel, féroce, sauvage.*
7. **preposterous** : *irrationel, absurde, déraisonnable, saugrenu.*
8. **libel** : *calomnie, diffamation.* **To sue for libel**, *poursuivre en diffamation.*
9. **set** : *1) ensemble, collection, assortiment, etc. ; 2) groupe, catégorie, milieu.* Cf. le **jet-set**.
10. **to lay, laid, laid** : *1) poser ; 2) présenter, exposer* (des faits).

In reply to this two others were forthcoming[1] (*The TImes*, 7th and 9th July). The first suggested that the train might have run off the metals and be lying submerged in the Lancashire and Staffordshire[2] Canal, which runs parallel to the railway for some hundreds of yards. This suggestion was thrown out of court[3] by the published depth of the canal which was entirely insufficient to conceal[4] so large an object. The second correspondent wrote calling attention to the bag which appeared to be the sole luggage which the travellers had brought with them, and suggesting that some novel[5] explosive of immense and pulverizing[6] power might have been concealed in it. The obvious absurdity, however, of supposing that the whole train might be blown to dust while the metals remained uninjured reduced any such explanation to a farce. The investigation had drifted[7] into this hopeless position when a new and most unexpected incident occurred.

This was nothing less than the receipt[8] by Mrs. McPherson of a letter from her husband, James McPherson, who had been the guard of the missing train. The letter, which was dated 5th July, 1890, was posted from New York and came to hand upon 14th July. Some doubts[9] were expressed as to its genuine character, but Mrs. McPherson was positive as to the writing, and the fact that it contained a remittance[10] of a hundred dollars in five-dollar notes was enough in itself to discount[11] the idea of a hoax. No address was given in the letter, which ran in this way :

---

1. **forthcoming** : *prochain, futur, à venir,* (livre) *prêt à paraître.*
2. **Lancashire** etc. : si **shire** *comté* se prononce ['ʃaɪər], le son du i s'atténue en composition en [ʃɪə(r)] ou [ʃə(r)]. Cf. Lancashire ['læŋkəʃɪə(r)], ('læŋkəʃə(r)].
3. m. à m. : *jeté hors de la cour.* Se dit d'un argument jugé non valable par un tribunal.
4. **to conceal** : *cacher, dissimuler, celer, masquer.*
5. **novel** : *nouveau* au sens d'original, singulier, étrange, sans précédent.
6. **to pulverize** : *réduire en poudre.*

En réponse à cette lettre, deux autres suivirent. (Le « Times » du 7 et du 9 juillet). La première suggérait que le train avait pu dérailler et se retrouver au fond du canal de Lancashire au Staffordshire, qui est parallèle à la ligne de chemin de fer sur quelques centaines de mètres. Cette suggestion fut rendue caduque par la publication de la profondeur du canal, largement insuffisante pour submerger un objet de cette taille. La lettre du second correspondant attirait l'attention sur le sac qui semblait être le seul bagage des voyageurs, et suggérait qu'un explosif d'un nouveau type, d'une prodigieuse capacité de destruction, avait pu y être caché. Mais l'absurdité évidente de la supposition que le train puisse avoir été réduit en poussière alors que les rails étaient restés intacts rendait ridicule une telle hypothèse. L'enquête en était à ce stade démoralisant quand un incident nouveau et fort inattendu se produisit.

Ce ne fut rien moins que la réception par Madame McPherson d'une lettre de son mari, James McPherson, qui avait été le chef du train du convoi disparu. La lettre, datée du 5 juillet 1890, avait été postée à New York et était arrivée à destination le 14 juillet. Des doutes furent émis quant à son authenticité, mais madame McPherson reconnut l'écriture, et le fait qu'elle contenait une somme de cent dollars en billets de cinq dollars suffisait à écarter l'idée d'un canular. Elle ne mentionnait aucune adresse, et disait ceci :

---

7. **to drift** : *dériver, se laisser aller/porter au fil de l'eau.*
8. **receipt** [ri'si:t] *1) réception* d'un document ; *2) reçu.*
9. **doubt** : attention à la prononciation [daut].
10. **remittance** : *remise* d'une somme d'argent, *envoi de fonds.*
11. **to discount** : *1) opérer une réduction, escompter* (traite, etc.) *; 2) faire peu de cas de, minorer l'importance de, ne pas tenir compte de, ne pas attacher foi à.*
12. **to run** est souvent utilisé pour indiquer la teneur d'un message. Ex. **The agreement runs in these words**, *l'accord est ainsi rédigé.*

'My dear Wife,

'I have been thinking a great deal, and I find it very hard to give you up[1]. The same with Lizzie. I try to fight against it, but it will[2] always come back to me. I send you some money which will change[3] into twenty English pounds. This should be enough to bring both Lizzie and you across the Atlantic, and you will find the Hamburg boats which stop at Southampton very good boats, and cheaper than Liverpool. If you could come here and stop[4] at the Johnston House I would try and send you word how to meet, but things are very difficult with me at present, and I am not very happy, finding it hard to give you both up. So no more at present, from your loving husband,

'James McxPherson.'

For a time it was confidently anticipated[5] that this letter would lead to the clearing up of the whole matter, the more so as it was ascertained that a passenger who bore[6] a close resemblance to the missing guard had travelled from Southampton under the name of Summers in the Hamburg and New York liner *Vistula*, which started upon the 7th of June. Mrs. McPherson and her sister Lizzie Dolton went across[7] to New York as directed and stayed for three weeks at the Johnston House, without hearing anything from[8] the missing man. It is probable that some injudicious[9] comments in the Press may have warned him that the police were using them as a bait.

---

1. **to give up** : *abandonner.*
2. **will** : indique ici la répétition, le caractère inévitable. Cf. **Boys will be boys**, *les garçons seront toujours des garçons* ; **accidents will happen**, *il y aura toujours des accidents.*
3. **will change into** : *s'échangera pour, vaudra...* selon le change. Prononciation [tʃeɪndʒ].
4. **to stop** : souvent employé au sens de *descendre*, loger dans un hôtel, etc., synonyme dans cet emploi de **to stay**.
5. m. à m. : *vous envoyer un mot comment se rencontrer.*
6. **to anticipate** : *s'attendre à, prévoir.*
7. **to bear, bore, borne** : *porter ; supporter ; avoir une expres-*

« Ma chère femme,

J'ai beaucoup réfléchi, et j'ai beaucoup de mal à renoncer à toi. De même pour Lizzie, j'essaie de résister, mais ça me reprend tout le temps. Je t'envoie de l'argent qui fera 20 livres anglaises. Ça devrait être assez pour te faire traverser l'Atlantique avec Lizzie, et tu verras que les bateaux de Hambourg qui font escale à Suthampton sont très bien, et moins chers que ceux qui partent de Liverpool. Si vous pouviez venir ici et descendre à la Pension Johnston, j'essaierai d'envoyer un mot pour qu'on se retrouve, mais les choses sont très difficiles pour moi en ce moment, et je ne suis pas très heureux, vu que j'ai du mal à renoncer à vous deux. Je n'en dis pas plus pour l'instant. Ton mari qui t'aime,

JAMES MCPHERSON

On fit quelque temps convaincu que cette lettre allait conduire à la solution de toute l'affaire, d'autant qu'on eut la preuve qu'un passager qui ressemblait de façon frappante au chef de train disparu avait embarqué à Southampton, sous le nom de Summers, sur le paquebot « La Vistule », allant d'Hambourg à New York, qui avait appareillé le 7 juin. Madame McPherson et sa sœur Lizzie Dolton firent la traversée jusqu'à New York, comme prescrit, et résidèrent trois semaines à la Pension Johston, sans recevoir aucune nouvelle de l'absent. Il est probable que des commentaires malavisés dans la presse avaient averti ce dernier que la police les utilisait comme appât.

---

sion, un signe distinctif. Ce n'est qu'au sens de **I was born**, *je suis né*, que le participe passé s'écrit sans « e ».

8. **across** : référence à la nécessaire traversée de l'Atlantique.

9. **to hear from someone** : *avoir des nouvelles de quelqu'un* données par cette personne elle-même ; à distinguer de **to hear of someone**, *avoir des nouvelles de quelqu'un* au sens d'entendre parler de (nouvelles rapportées par des tiers, la presse, etc.).

10. **injudicious** : *non-judicieux, mal-avisé, peu sage, inopportuns, qui manque de bon sens.*

However this may be, it is certain that he neither wrote nor came, and the women were eventually compelled to return to Liverpool.

And so the matter stood, and has continued to stand up to[1] the present year of 1898. Incredible as it may seem, nothing has transpired during these eight years which has shed[2] the least light upon the extraordinary disappearance of the special train which contained Monsieur Caratal and his companion. Careful inquiries into the antecedents of the two travellers have only established the fact that Monsieur Caratal was well known as a financier and political agent in Central America, and that during his voyage to Europe he had betrayed[3] extraordinary anxiety to reach Paris. His companion, whose name was entered[4] upon the passenger lists as Eduardo Gomez, was a man whose record[5] was a violent one, and whose reputation was that of a bravo[6] and a bully[7]. There was evidence to show, however, that he was honestly devoted to the interests of Monsieur Caratal, and that the latter, being a man of puny[8] physique, employed the other as a guard and protector. It may be added that no information came from Paris as to what the objects of Monsieur Caratal's hurried journey may have been. This comprises[9] all the facts of the case up to the publication in the Marseilles papers of the recent confession of Herbert de Lernac, now under sentence of death for the murder of a merchant[10] named Bonvalot. This statement may be literally translated as follows[11] :

---

1. **up to** : *jusqu'à*. S'emploie pour un volume, **up to... pounds**, *jusqu'à... livres*, ou une période/date : **up to this day**, *jusqu'à ce jour* (à la différence de **till, until**, qui ne peuvent s'employer que pour des notions de temps).
2. **to shed, shed, shed** : *1) verser, déverser, répandre ; 2) perdre* (ses feuilles, des emplois).
3. **to betray** : *1) trahir, tromper ; 2) laisser voir, laisser deviner.*
4. **to enter** : différentes constructions selon le sens ; **to enter a room**, *entrer dans une pièce* ; **to enter into a friendship**, *se lier d'amitié*, **to enter into an association**, *s'associer* ; **to enter in a book/on a list**, *faire figurer dans un livre, sur une liste.*

Quoi qu'il en soit, il est certain qu'il n'écrivit ni ne se présenta, et les deux femmes durent finalement rentrer à Liverpool.

Les choses en étaient là, et en restèrent là jusqu'à la présente année 1898. Aussi incroyable que cela puisse sembler, rien n'a transpiré au cours de ces huit années qui puisse éclairer la disparition extraordinaire du train spécial qui transportait Monsieur Caratal et son compagnon. Des enquêtes minutieuses sur le passé des deux voyageurs ont seulement établi le fait que Monsieur Caratal était bien connu comme financier et agent politique en Amérique centrale, et que durant son voyage vers l'Europe il avait montré une extraordinaire anxiété de rejoindre Paris. Son compagnon, dont le nom figurait sur la liste des passagers, avait des antécédents de violence et une réputation de malandrin et de brute. Il était prouvé, cependant, qu'il était honnêtement dévoué aux intérêts de Monsieur Caratal, et que ce dernier, de nature chétive, l'employait comme garde du corps. On peut ajouter qu'aucun renseignement ne vint de Paris sur ce qui avait pu motiver le déplacement urgent de Monsieur Caratal. Tels étaient les seuls éléments connus de l'affaire jusqu'à la publication par les journaux de Marseille des récents aveux d'Herbert de Lernac, aujourd'hui sous le coup d'une condamnation à mort pour l'assassinat d'un négociant du nom de Bonvalot. Voici le texte exact de ce document :

---

5. **record** : *1) enregistrement ; 2) antécédents ;* **professional record**, *antécédents professionnels, carrière ;* **police record**, *casier judiciaire.*
6. **bravo** : *spadassin, homme de main, desperado, coupe-jarret.*
7. **bully** : *fier à bras, bravache, brute.* En particulier, à l'école, celui qui brime/brutalise les plus petits.
8. **puny** : *petit, chétif, grêle, menu, malingre ; mesquin.*
9. **to comprise** : *comprendre, contenir, renfermer, englober.*
10. **merchant** : *négociant, commerçant, marchand en gros.*
11. m. à m. : *cette déclaration peut être traduite littéralement comme suit.*

'It is not out of mere[1] pride or boasting[2] that I give this information, for, if that were my object, I could tell a dozen actions of mine which are quite as splendid ; but I do it in order that certain gentlemen in Paris may understand that I, who am able[3] here to tell about the fate of Monsieur Caratal, can also tell in whose interest and at whose request the deed was done, unless the reprieve[4] which I am awaiting comes to me very quickly. Take warning[5], messieurs[6], before it is too late ! You know Herbert de Lernac, and you are aware that his deeds are as ready as his words[7]. Hasten[8] then, or you are lost !

'At present I shall mention no names – if you only heard the names, what would you not think ![9] – but I shall merely tell you how cleverly I did it. I was true to my employers then, and no doubt they will be true to me now. I hope so, and until I am convinced that they have betrayed me, these names, which would convulse Europe, shall not be divulged. But on that day... well, I say no more !

'In a word, then, there was a famous trial in Paris, in the year 1890, in connection with a monstrous scandal in politics and finance. How monstrous that scandal was[10] can never be known save by such confidential agents as myself. The honour and careers of many of the chief men in France were at stake. You have seen a group of ninepins standing, all so rigid, and prim[11] and unbending[12]. Then there comes the ball from far away and pop, pop, pop – there are your ninepins on the floor.

---

1. **mere** : *simple, pur, seul.* Souvent traduit par « ne... que de » : **This is mere conjecture**, *ce n'est qu'une supposition.*
2. **to boast** : *se vanter ; être fier de.*
3. m. à m. : *moi, qui suis capable ici.*
4. **reprieve** : *sursis, répit, rémission, commutation de peine capitale.*
5. **warning** : *avertissement.* De **to warn**, *prévénir*, souvent de façon menaçante.
6. **messieurs** : en français dans le texte, Conan Doyle insistant sur le fait qu'il s'agit d'un français s'adressant à des français. Le français a survécu dans la forme **Messrs**, ['mesərz], introduisant le nom d'une entreprise ou une liste de personnes de sexe masculin.
7. **His deeds are as ready as his words** : m. à m. : *ses actes sont aussi prêts que ses mots,* c'est-à-dire *il est de parole, fidèle à ses*

« Ce n'est pas par simple vanité ou vantardise que je livre ces informations, car si tel était mon objet, je pourrais raconter une douzaine de mes exploits qui sont tout aussi remarquables ; mais je le fais afin que certains personnages à Paris comprennent que si je puis ici révéler le sort de Monsieur Caratal, je peux aussi dire dans l'intérêt et à la demande de qui l'acte a été accompli, à moins que la grâce que j'attends ne me soit accordée très rapidement. Prenez garde, messieurs, avant qu'il ne soit trop tard ! Vous connaissez Herbert de Lernac, et vous savez qu'il tient parole. Hâtez-vous donc, ou vous êtes perdus !

Pour l'instant, je ne nommerai personne – quel ne serait pas votre étonnement à la seule mention de ces noms ! – mais je vous dirai seulement avec quelle astuce j'ai agi. J'ai été fidèle à mes employeurs à cette occasion, et je ne doute pas qu'il me seront fidèles aujourd'hui. Je l'espère, et jusqu'à ce que je sois convaincu de leur trahison, ces noms, qui plongeraient l'Europe dans des convulsions, ne seront pas divulgués. Mais ce jour-là... inutile d'en dire plus !

En un mot donc, il y a eu à Paris en 1890 un procès fameux dans le cadre d'un énorme scandale politique et financier. Son énormité ne sera jamais connue que par des auxiliaires dans le secret, comme moi-même. L'honneur et la carrière de nombreux dirigeants français étaient en jeu. Vous avez vu un jeu de quilles impeccablement dressées dans leur rigidité inflexible. Arrive la boule lancée de loin, et bing, bing, bing, voilà vos quilles par terre.

---

promesses, on peut le croire sur parole, il ne se paie pas de mots.

8. **to hasten** : prononciation ['heisn], le « t » n'est pas prononcé. Mais il l'est dans **haste**, *la hâte.*

9. m. à m. : *que ne penseriez-vous pas* ! L'auteur s'adresse maintenant non plus à ses employeurs, mais aux lecteurs de ses aveux.

10. m. à m. : *combien monstrueux fut ce scandale...* Même construction que pour **How old, how large, how surprising,** etc.

11. **prim** : *d'une dignité affectée, collet monté, guindé, compassé, qui a des airs de sainte nitouche.*

12. **unbending** : *1) qui ne se courbe pas ; 2) qui ne cède pas, inflexible, déterminé.* De **to bend, bent, bent**, *(se)courber, (se) pencher.*

Well, imagine some of the greatest men in France as these ninepins[1] and then this Monsieur Caratal was the ball which could be seen coming from far away. If he arrived, then it was pop, pop, pop for all of them. It was determined that he should[2] not arrive.

'I do not accuse them all of being conscious of what was to happen. There were, as I have said, great financial as well as political interests at stake, and a syndicate[3] was formed to manage the business. Some subscribed[4] to the syndicate who hardly understood[5] what were its objects. But others understood very well, and they can rely upon it[6] that I have not forgotten their names. They had ample warning that Monsieur Caratal was coming long before he left South America, and they knew that the evidence[7] which he held would certainly mean[8] ruin to all of them. The syndicate had the command of an unlimited amount of money – absolutely unlimited, you understand. They looked round for an agent who was capable of wielding[9] this gigantic power. The man chosen[10] must be inventive, resolute, adaptive[11] – a man in a million. They chose Herbert de Lernac, and I admit that they were right.

'My duties[12] were to choose my subordinates, to use freely the power which money gives, and to make certain that Monsieur Caratal should never arrive in Paris. With characteristic energy I set about my commission[13] within an hour of receiving my instructions, and the steps which I took were the very best for the purpose which could possibly be devised.

---

1. *m. à m. : imaginez certains des plus grands hommes de France comme ces quilles, et ensuite ce Monsieur Caratal était…*
2. ***he should not : should**, par rapport à **would**, ajoute l'idée qu'il ne fallait pas qu'il arrive.*
3. ***syndicate** : ne s'emploie en anglais que pour des syndicats de propriétaires ou des groupements commerciaux. Au sens français, un syndicat : **a union** (GB **trade-union**, US **labor union**).*
4. ***to subscribe** : souscrire, s'abonner, s'inscrire. **Subscriber** : abonné.*
5. *m. à m. : qui comprenaient à peine.*
6. *m. à m. : ils peuvent compter sur cela.*
7. ***evidence** : preuve(s). Rarement utilisé au pluriel. **To give evi-***

Eh bien, remplacez ces quilles par certains des hommes les plus influents en France, et ce Monsieur Caratal sera la boule que l'on pouvait voir venir de loin. S'il arrivait, c'était bing, bing, bing ! pour eux tous. Il fut résolu qu'il ne devait pas arriver.

Je ne les accuse pas tous d'avoir été conscients de ce qui allait se produire. Il y avait, comme je l'ai dit, de gros intérêts financiers aussi bien que politiques en jeu, et un syndicat fut formé pour gérer l'opération. Certains y cotisèrent sans vraiment savoir quels étaient ses objectifs. Mais d'autres comprirent fort bien, et ils peuvent compter sur moi pour ne pas avoir oublié leurs noms. Ils savaient longtemps à l'avance que Monsieur Caratal allait venir, bien avant qu'il ne quitte l'Amérique du Sud, et étaient conscients de ce que les preuves qu'il détenait signifiaient une ruine certaine pour eux tous. Le syndicat disposait d'une somme illimitée d'argent – absolument sans limites, comprenez-le. Ils cherchaient un agent capable d'exercer ce gigantesque pouvoir. La personne sélectionnée devait être inventive, déterminée, capable d'improviser – un homme sur un million. Ils choisirent Herbert de Lernac, et je dois reconnaître qu'ils eurent raison.

Il me revenait de recruter mes subordonnés, d'utiliser librement le pouvoir que donne l'argent, et de faire en sorte que Monsieur Caratal n'arrive jamais à Paris. J'entâmai ma mission avec mon énergie habituelle, une heure à peine après avoir reçu mes instructions, et les mesures que je pris étaient de loin les meilleures qui pouvaient être conçues en fonction de l'objectif.

***dence** : témoigner.*
8. m. à m. : signifierait certainement.
*9. **to wield** : manier. Souvent utilisé pour des armes, le pouvoir.*
*10. **The man chosen : (to choose, chose, chosen)** en anglais, à la différence de l'adjectif, le participe passé se place après le nom. Les marchandises transportées, **the goods transported** ; les personnes impliquées, **the people involved**, etc.*
*11. **adaptive** : qui s'adapte facilement, capable d'ajuster son comportement à la situation, d'une grande adaptabilité, capable d'improviser.*
*12. **my duties** : mes devoirs, mes fonctions.*

'A man whom I could trust was dispatched instantly to South America to travel home with Monsieur Caratal. Had he arrived in time the ship would never have reached Liverpool ; but alas ! it had already started before my agent could reach it. I fitted out[1] a small armed brig[2] to intercept it, but again I was unfortunate. Like all great organizers I was, however, prepared for failure, and had a series of alternatives prepared, one or the other of which must succeed. You must not underrate the difficulties of my undertaking, or imagine that a mere commonplace[3] assassination would meet the case. We must[4] destroy not only Monsieur Caratal, but Monsieur Caratal's documents, and Monsieur Caratal's campanions also, if we had reason to believe that he had communicated his secrets to them. And you must remember that they were on the alert, and keenly[5] suspicious of any such attempt[6]. It was a task which was in every way worthy of me, for I am always most masterful where another would be appalled[7].

'I was all ready for Monsieur Caratal's reception in Liverpool, and I was the more eager[8] because I had reason to believe that he had made arrangements by which he would have a considerable guard[9] from the moment that he arrived in London. Anything which was to be done must be done[10] between the moment of his setting foot upon the Liverpool quay[11] and that of his arrival at the London and West Coast terminus in London. We prepared six plans, each more elaborate than the last ; which[12] plan should be used would depend upon his own movements.

---

1. **to fit out** : *équiper, armer* (un navire).
2. **brig** : navire de petit tonnage à deux mâts gréés de voiles carrées. De **brigantine**, *voile quadrangulaire de l'arrière.*
3. **commonplace** : *commun, ordinaire, sans originalité* ; **a commonplace**, *un lieu commun.*
4. **must** : il s'agit ici du prétérite (d'un emploi rare et littéraire, la plupart du temps remplacé par **had to**).
5. **keenly** : adverbe formé sur **keen**, *aigu ; intense, profond, ardent.* **To be keen on something**, *être passionné de, aimer profondément.*
6. **attempt** : *tentative*, signifie aussi *attentat.* **A bomb attempt** :

Un homme en qui j'avais toute confiance fut immédiatement envoyé en Amérique du Sud, pour faire le voyage de retour avec Monsieur Caratal. S'il était arrivé à temps le navire n'aurait jamais atteint Liverpool. Par malheur, il était déjà parti avant l'arrivée de mon agent. J'affrétai un petit brick armé pour l'intercepter, mais à nouveau sans succès. Mais comme tous les grands organisateurs, j'avais prévu l'échec, et j'avais préparé une série de solutions de rechange, dont l'une ou l'autre devait réussir. Ne sous-estimez pas les difficultés de mon entreprise, et n'imaginez pas qu'un assassinat ordinaire aurait fait l'affaire. Il nous fallait faire disparaître non seulement Monsieur Caratal, mais aussi ses documents, ainsi que ses compagnons, si nous avions des raisons de croire qu'il leur avait communiqué ses secrets. Et souvenez-vous qu'ils étaient en alerte, et se méfiaient profondément d'une telle tentative. La tâche était en tous points digne de moi, qui suis toujours au sommet de mon art là où un autre s'effondrerait.

J'avais tout préparé pour recevoir Monsieur Caratal à Liverpool, et j'étais d'autant plus impatient que j'avais des raisons de croire qu'il avait pris des mesures pour faire assurer étroitement sa protection dès qu'il aurait gagné Londres. Il était donc nécessaire d'opérer entre le moment où il poserait le pied sur le quai de Liverpool et celui de son arrivé au terminus de la L. & W. C. à Londres. Nous préparâmes six plans, chacun plus élaboré que le précédent. Le plan utilisé dépendrait de ses mouvements.

---

un attentat à l'explosif.

7. **to appal** : *accabler, désoler, terrifier, effondrer, confondre.*

8. **eager** : *désireux, enthousiaste, motivé, ardent, passionné, impatient.*

9. **guard** : *garde, protection.* Rappel prononciation ; le **u** n'est pas prononcé [gɑːd].

10. **must be done : must** est ici au prétérite *« devait » être fait.*

11. **quay** : attention à la prononciation [kiː]. Ne peut s'employer que pour un quai portuaire. *Quai de gare* : **platform.**

12. **which** : indique un choix entre plusieurs possibilités. **Which one do you like best ?** *Lequel préférez-vous ?*

Do what he would, we were ready for him. If he had stayed in Liverpool, we were ready. If he took an ordinary train, an express, or a special, all was ready. Everything had been foreseen[1] and provided for[2].

'You may imagine that I could not do all this myself. What could I know of the English railway lines ? But money can procure willing[3] agents all the world over, and I soon had one of the acutest[4] brains in England to assist me. I will mention no names, but it would be unjust to claim all the credit for myself. My English ally was worthy of such an alliance. He knew the London and West Coast line thoroughly[5] and he had the command of a band of workers who were trustworthy and intelligent. The idea was his, and my own judgment was only required in the details. We bought over several officials[6], amongst[7] whom the most important was James McPherson, whom[8] we had ascertained to be the guard most likely to be employed upon a special train. Smith, the stoker, was also in our employ. John Slater, the engine-driver, had been approached, but had been found to be obstinate and dangerous, so we desisted[9]. We had no certainty that Monsieur Caratal would take a special, but we thought it very probable, for it was of the utmost importance to him that he should reach Paris without delay[10]. It was for this contingency[11], therefore, that we made special preparations – preparations which were complete down to the last detail long before his steamer had sighted the shores of England.

---

1. **to foresee, foresaw, foreseen** : *prévoir*, au sens de « penser que quelque chose va se produire ». Si cette prévision fait l'objet d'une annonce, employer **to forecast** (c'est le terme utilisé pour les prévisions économiques).
2. **to provide** : *1) fournir ; 2) prévoir* au sens d'envisager les moyens de faire face à une situation. **The law provides that**, *la loi prévoit que.* **The agreement provides for such a situation** : *l'accord prévoit ce genre de situation.*
3. **willing** : *volontaire, de bonne volonté, coopératif.*
4. **acute** : *aigu, vif, pénétrant* ; **an acute brain**, *un esprit pénétrant* ; **an acute crisis**, *une crise aiguë, grave.*
5. **thoroughly**, adverbe formé sur l'adjectif **thorough**, *complet, exhaustif, profond, détaillé ; consciencieux.*
6. **official** : *officiel, responsable, membre d'une société, d'un*

Quoi qu'il fît, nous étions prêts. S'il était resté à Liverpool, nous y étions prêts. S'il prenait un omnibus, un express, ou un train spécial, tout était prêt. Tout avait été prévu et programmé.

Vous imaginez bien que je ne pouvais pas faire tout cela à moi tout seul. Que pouvais-je savoir du réseau ferroviaire anglais ? Mais l'argent permet de recruter des agents dynamiques dans le monde entier, et je disposai bientôt de l'aide d'un des meilleurs cerveaux d'Angleterre. Je ne donnerai pas de nom, mais il serait injuste de m'attribuer tout le mérite. Mon allié anglais était digne de notre association. Il connaissait parfaitement la ligne de Londres et de la Côte Ouest, et il dirigeait une équipe de travailleurs dignes de confiance et intelligents. L'idée était sienne, et mon propre jugement ne fut sollicité que pour les détails. Nous achetâmes plusieurs responsables, le plus important étant James McPherson, dont nous avions la certitude qu'il avait le plus de chances d'être désigné comme chef d'un train spécial. Smith, le chauffeur, avait également été recruté par nous. John Slater, le mécanicien, avait également été approché mais avait été jugé trop têtu et dangereux, et nous avions renoncé. Nous n'avions pas de certitude que Monsieur Caratal prendrait un spécial, mais nous estimions cela très probable, car il était pour lui de la plus haute importance de rallier Paris au plus vite. C'est dans cette éventualité par conséquent, que nous dressâmes des plans spécifiques, précis jusque dans les moindres détails, longtemps avant que son paquebot ne soit en vue des côtes anglaises.

---

organisme, qui y occupe un poste important.

7. **amongst** : *forme vieillie* – mais encore utilisée – de **among**.

8. **whom** : c'est la forme complément correcte de **who**. En anglais moderne, la tendance est souvent d'utiliser **who** dans ce sens, sauf à la suite d'une préposition : **who(m) did you give it to ?** mais **To whom did you give it ?**

9. **to desist** : *renoncer* à quelque chose, **from something**, *abandonner* (une pratique), *cesser*.

10. **delay** : *retard*. Ne peut être traduit par délai en français que lorsque, précisément, ce mot signifie retard. Mais *honorer un délai* : **to meet a deadline**. *Délai de préavis*, **term/period of notice**.

11. **contingency** : *éventualité, événement impévu, urgence.*

You will be amused to learn that there was one of my agents in the pilot-boat which brought that steamer to its moorings[1].

'The moment that Caratal arrived in Liverpool we knew that he suspected danger and was on his guard. He had brought with him as an escort a dangerous fellow, named Gomez, a man who carried weapons, and was prepared to use them. This fellow carried Caratal's confidential papers for him, and was ready to protect either them or his master. The probability was that Caratal had taken him into his counsels[2], and that to remove[3] Caratal without removing Gomez would be a mere waste of energy. It was necessary that they should be involved[4] in a common fate, and our plans to that end[5] were much facilitated by their request for a special train. On[6] that special train you will understand that two out of the three servants of the company were really in our employ, at a price which would make them independent[7] for a lifetime. I do not go so far as to say that the English are more honest than any other nation, but I have found them more expensive to buy.

'I have already spoken of my English agent – who is a man with a considerable future before him, unless some complaint of the throat[8] carries him off before his time. He had charge of all arrangements at Liverpool, whilst[9] I was stationed at the inn at Kenyon, where I awaited a cipher[10] signal to act. When the special was arranged for, my agent instantly telegraphed to me and warned me how soon I should have everything ready.

1. **moorings** : *poste d'amarrage, de mouillage.* De **to moor**, *amarrer.*
2. **counsel** : *1)* littéraire *conseil ; 2) secret ; 3) avocat ; avocat-conseil.*
3. **to remove** : *enlever, éliminer, faire disparaître.*
4. **to involve** : *impliquer, concerner.*
5. m. à m. : *à cette fin.*
6. **on** : l'anglais dit **on a train, on a bus**, *dans un train, un bus.* Cf. **to get on, to get off**, *monter dans, descendre d'un train/bus.*

Il vous amusera d'apprendre qu'il y avait un de mes agents à bord du bateau-pilote qui conduisit le vapeur à son mouillage.

Dès l'instant où Caratal arriva à Liverpool, nous sûmes qu'il pressentait le danger et se trouvait sur ses gardes. Il avait amené avec lui pour l'escorter un individu dangereux, du nom de Gomez, qui avait sur lui des armes et savait s'en servir. Ce personnage était chargé de transporter les documents confidentiels de Caratal et était prêt à les protéger comme il protégeait son maître. Il était probable que Caratal l'avait mis dans la confidence, et que faire disparaître Caratal sans éliminer Gomez ne serait qu'une dépense inutile d'énergie. Leur sort devait être lié, et nos projets dans ce sens furent facilités par leur demande d'un train spécial. À bord de ce train, vous l'avez compris, deux des trois employés de la compagnie travaillaient effectivement pour nous, contre un salaire qui garantissait leur indépendance financière à vie. Je ne vais pas jusqu'à dire que les Anglais sont plus honnêtes que les autres peuples, mais je sais d'expérience qu'ils se vendent plus cher.

J'ai déjà parlé de mon agent anglais, qui est promis à un remarquable avenir si une certaine affection de la gorge ne l'emporte pas prématurément. Il était chargé de prendre toutes les dispositions à Liverpool, tandis que je tenais mes quartiers dans une auberge à Kenyon, où j'attendais un message codé pour passer à l'acte. Dès la location du spécial, mon agent me télégraphia pour me dire dans quel délai je devais être fin prêt.

---

7. **independent** : attention à l'orthographe, **-dent** ; de même pour **dependent, dependence, independence**.
8. Conan Doyle s'amuse : l'individu en question pourrait bien se faire trancher la gorge.
9. **whilst** : forme vieillie de **while**. Cf. **amongst, amidst...**
10. **cipher** : *chiffre, code.*
11. **how soon : how** peut s'employer devant un adjectif (**how old, how large, how expensive**, etc.) ou devant un adverbe (**how often, how soon, how frequently**, etc.).

He himself under the name of Horace Moore applied[1] immediately for a special also, in the hope that he would be sent down with Monsieur Caratal, which might under certain circumstances have been helpful to us. If, for example, our great coup[2] had failed, it would then have become the duty of my agent to have shot[3] them both and destroyed their papers. Caratal was on his guard, however, and refused to admit any other traveller. My agent then left the station, returned by another entrance, entered the guard's van on the side farthest from the platform, and travelled down with McPherson the guard.

'In the meantime[4] you will be interested to know[5] what my movements were. Everything had been prepared for days before, and only the finishing touches were needed. The side line which we had chosen had once joined the main line, but it had been disconnected. We had only to replace a few rails to connect it once more. These rails had been laid down as far as could be done without danger of attracting attention, and now it was merely a case of completing a juncture[6] with the line, and arranging the points as they had been before. The sleepers had never been removed, and the rails, fish-plates and rivets were all ready, for we had taken them from a siding on the abandoned[7] portion of the line. With my small but competent band of workers, we had everything ready long before the special arrived. When it did arrive[8], it ran off upon the small side line so easily that the jolting[9] of the points appears to have been entirely unnoticed by the two travellers.

---

1. **to apply** : *1) appliquer ; 2) faire une demande, s'adresser à, s'inscrire ; 3) poser sa candidature, postuler.* **To apply for a job**, *solliciter un emploi, poser sa candidature à un emploi. Un candidat* (à un emploi) : **an applicant**.

2. **coup** : se prononce à la française et signifie *coup d'éclat*, mais aussi *coup d'état.*

3. **to shoot, shot, shot** : *tirer.* **To shoot someone** : *1)* **to shoot at someone** *tirer sur quelqu'un ; 2)* **to shoot dead** *tuer avec une arme à feu.*

4. **in the meantime** : *entre temps, pendant ce temps.* Synonyme : **meanwhile**.

5. **interested to know** : **interested** se construit en général avec **in** + complément. **To be interested in art, in doing some-**

Lui-même sous le nom d'Horace Moore, présenta aussi une demande immédiate de spécial, dans l'espoir qu'on le fasse voyager avec Monsieur Caratal, ce qui dans certaines circonstances aurait pu nous être utile. Si par exemple notre grand coup avait échoué, ç'aurait alors été le devoir de mon agent de les abattre tous les deux et de détruire les documents. Mais Caratal était sur ses gardes, et refusa d'accepter un autre passager. Mon agent sortit alors de la gare, y revint par une autre entrée, pénétra dans le fourgon du chef de train par le côté opposé au quai, et voyagea en compagnie de MacPherson.

Il vous intéressera de savoir ce que je faisais pendant ce temps. Tout était prêt depuis des jours, seule manquait la touche finale. La voie de raccordement que nous avions choisie était jadis reliée à la ligne principale, mais le branchement avait été supprimé. Il nous suffisait de remplacer quelques rails pour la connecter à nouveau. Ces rails avaient été posés aussi loin qu'il était possible sans attirer l'attention, et il suffisait maintenant de compléter la jonction avec la ligne, et de remettre les aiguillages en état. Les traverses n'avaient jamais été enlevées,et les rails, éclisses et rivets étaient tout prêts, car nous les avions prélevés sur une voie de garage de la partie abandonnée de la ligne. Avec mon équipe réduite mais efficace, nos avions tout préparé bien avant l'arrivée du spécial. Quand il se présenta effectivement, il fut si facilement dirigé sur la voie de desserte que la secousse au passage de l'aiguillage semble être passée complètement inaperçue des deux voyageurs.

---

thing. Mais lorsqu'il s'agit d'un intérêt pour une activité future, on a comme ici **to + verbe**.

6. **juncture** : *1) connexion, jonction ; 2)* **at this juncture**, *dans cette situation, à ce stade.*

7. **abandoned** : remarquez l'orthographe. **To abandon** étant accentué sur la deuxième syllabe – et non la troisième – on ne redouble pas le « n » final aux formes en **-ing** et **-ed**. Comparez **to defer** (*remettre à plus tard*), accentué sur la deuxième syllabe qui donne **deferred** et **to differ** (*être différent*), accentué sur la première syllabe qui donne **differed**.

8. **it did arrive** : *c'est vraiment arrivé.* Forme amphatique (d'insistance).

9. **to jolt** : *secouer ; cahoter.*

'Our plan had been that Smith, the stoker, should chloroform John Slater, the driver, so that he should vanish with the others. In this respect, and in this respect only, our plans miscarried – I except the criminal folly[1] of McPherson in writing home to his wife. Our stoker did his business so clumsily that Slater in his struggles fell off the engine, and though fortune was with us so far that he broke his neck in the fall, still he remained as a blot[2] upon that which would otherwise have been[3] one of those complete masterpieces which are only to be contemplated[4] in silent admiration. The criminal expert will find in John Slater the one flaw[5] in all our admirable combinations. A man who has had so many triumphs as I can afford[6] to be frank, and I therefore lay my finger upon John Slater, and I proclaim him to be a flaw.

'But now I have got our special train upon the small line two kilometres, or rather more than one mile, in length, which leads, or rather used to lead[7] to the abandoned Heartsease mine, once one of the largest coal-mines in England. You will ask how it is[8] that no one saw the train upon this unused line. I answer that along its entire length it runs through a deep cutting, and that, unless someone had been on the edge of that cutting, he could not have seen it. There *was* someone on the edge of that cutting. I was there. And now I will tell you what I saw.

'My assistant had remained at the points in order that he might superintend the switching off[9] of the train. He had four armed men with him, so that if the train ran off the line –

---

1. **folly** : signifie *folie* au sens de manque de bon sens, comportement absurde, attente illusoire, excès, etc. Autrement, employer **madness**.
2. **blot** : *tache d'encre ; défaut, marque infâmante.* **To blot** : *tacher* ; **to blot out**, *effacer, faire disparaître.*
3. m. à m. : *sur cela qui aurait autrement été.*
4. **to contemplate** : *1) contempler ; 2)* sens très fréquent *envisager.* Se construit dans ce sens avec une forme en **-ing : to contemplate doing something**, *envisager de faire quelque chose.*
5. **flaw** : *imperfection, défaut, faille ; vice de forme.* **Flawless**,

Notre plan prévoyait que Smith, le chauffeur, chloroforme John Slater, le mécanicien, afin qu'il disparaisse avec les autres. À cet égard, et à cet égard seulement, nos plans avortèrent (je ne tiens pas compte de la folie criminelle de McPherson quand il écrivit à sa femme). Notre chauffeur s'acquitta si maladroitement de sa mission que Slater, en se débattant, tomba de sa machine, et bien que la chance nous ait souri en ce sens qu'il se brisa la nuque dans sa chute, il reste cependant une tache sur ce qui aurait sans cela constitué un de ces parfaits chefs-d'œuvre qu'on ne peut qu'admirer en silence. L'expert en crimiologie verra en John Slater la faille dans toutes nos admirables stratégies. Un homme qui a connu autant de triomphes que moi peut se permettre d'être franc, et je montre donc John Slater du doigt, et le dénonce comme faille.

Mais notre train spécial est maintenant sur la voie de raccordement des 2 kilomètres, ou d'un peu plus d'un mille de long qui mène, ou plutôt menait, à la mine abandonnée de Heartsease, jadis une des plus importantes mines de charbon d'Angleterre. Vous vous étonnerez de ce que personne ne vit le train sur cette ligne inutilisée. Je réponds que sur toute sa longueur elle suit une profonde tranchée, et qu'à moins de se trouver au bord de celle-ci, on ne pouvait le voir. Il s'y trouvait certes quelqu'un : moi. Et je vais vous dire ce que j'ai vu.

Mon asisstant était resté auprès de l'aiguillage pour superviser le changement de direction du train. Il avait avec lui quatre hommes armés pour qu'au cas où le train quitterait les rails –

---

sans faille, sans défaut, impeccable.

6. **to afford** : *1) offrir, accorder, procurer, permettre ; 2) se permettre de, avoir les moyens de.* Sens souvent financier : **It's too expensive, I can't afford it**.

7. **used to lead : used to** s'utilise pour indiquer un événement passé, révolu. Ex. : **Things are not what they used to be**, *les choses ne sont plus ce qu'elles étaient.*

8. m. à m. : *Vous demanderez comment il se fait.*

9. **to switch off** : *1) éteindre, couper le courant* (**a switch**, *un commutateur*) *; 2)* (ici) *aiguiller sur une autre ligne* (**switches : points**, *aiguillage(s)*.)

we thought it probable, because the points were very[1] rusty – we might still have resources to fall back upon. Having once seen it safely[2] on the side line, he handed over[3] the responsibility to me. I was waiting at a point which overlooks[4] the mouth of the mine, and I was also armed, as were my two companions. Come what might[5], you see, I was always ready.

'The moment that the train was fairly[6] on the side line, Smith, the stoker, slowed down the engine, and then, having turned it on to the fullest speed again, he and McPherson, with my English lieutenant[7], sprang[8] off before it was too late. It may be that it was this slowing down which first attracted the attention of the travellers, but the train was running at full speed again before their heads appeared at the open window. It makes me smile to think how bewildered they must have been. Picture[9] to yourself your own feelings if, on looking out of your luxurious carriage, you suddenly perceived that the lines upon which you ran were rusted and corroded, red and yellow with disuse and decay[10] ! What a catch[11] must have come in their breath as in a second it flashed[12] upon them that it was not Manchester but Death which was waiting for them at the end of that sinister line. But the train was running with frantic speed, rolling and rocking[13] over the rotten[14] line, while the wheels made a frightful screaming sound upon the rusted surface. I was close to them, and could see their faces. Caratal was praying, I think – there was something like a rosary[15] dangling out of his hand.

---

1. **to fall back upon** : *se rabattre sur.*
2. **safely** : *en sécurité, sans danger, sans ennui, sans anicroche.*
3. **to hand over** : *remettre* des documents, une responsabilité, *transférer, livrer.*
4. **to overlook** : *1) dominer, avoir vue sur ; 2) négliger, oublier, ne pas tenir compte de.*
5. m. à m. *qu'il arrive ce qu'il pouvait.*
6. **fairly** : *suffisamment, bien, assez.*
7. **lieutenant** : prononciation GB [lef'tenant], US [lu:'tenant].
8. **to spring, sprang, sprung**.
9. **to picture** : *dépeindre, peindre, représenter, se représenter, imaginer.*
10. **decay** : *déclin, délabrement, dégradation, pourriture.*

ce que nous jugions possible, car l'aiguillage était fort rouillé – il nous reste des solutions de recours. S'étant assuré que le convoi était bien engagé sur la voie de raccordement, il me passa le relais. J'attendais en un point qui domine la bouche du puits,et j'étais également armé, de même que mes deux compagnons. Quoi qu'il arrive, voyez-vous, j'étais toujours prêt.

Dès que le train fut suffisamment loin sur la desserte, Smith, le chauffeur, fit ralentir la locomotive, puis, après avoir poussé les feux à nouveau au maximum, lui-même, MacPherson et mon second anglais sautèrent avant qu'il ne fût trop tard. Il se peut que ce soit le ralentissement qui ait d'abord attiré l'attention des voyageurs, mais le train était déjà reparti à toute vitesse avant que leurs têtes n'apparaissent à la fenêtre ouverte. Je souris à l'idée de leur ahurissement. Imaginez vos propres sentiments si, en regardant à l'extérieur de votre luxueuse voiture, vous découvriez soudain que les rails sur lesquels vous roulez sont rouillés et corrodés, rougis et jaunis par l'abandon et le délabrement ! Leur souffle a dû être coupé quand il réalisèrent en une seconde que ce n'était pas Manchester mais la mort qui les attendait au bout de cette ligne funeste. Mais le train fonçait sur les voies délabrées, les roues grinçant effroyablement sur les rails rouillés. J'étais près d'eux, je voyais leurs visages. Caratal priait, je crois, quelque chose qui ressemblait à un rosaire pendait entre ses doigts.

---

11. **catch** : de **to catch one's breath**, *retenir son souffle*, désigne un arrêt de la respiration dû à l'émotion.
12. **to flash** : sens variable selon contexte, mais indique toujours que quelque chose se produit à la vitesse de l'éclair (*un éclair* : **a flash of lightning**). Décrit souvent une flambée ou un éclat soudain.
13. **to rock** : *(se) balancer, secouer ; ébranler ; bercer.* **To rock the boat**, faire des histoires, créer des difficultés.
14. m.à m. : *pourri(e).*
15. **rosary** : un rosaire est un chapelet dont les perles correspondent à des avés et des paters (quinze dizaines d'avés, chacune précédée d'un pater).

The other roared[1] like a bull who smells the blood[2] of the slaughter-house[3]. He saw us standing on the bank, and he beckoned to us like a madman. Then he tore[4] at his wrist and threw his dispatch-box out of the window in our direction. Of course, his meaning[5] was obvious. Here was the evidence, and they would promise to be silent if their lives were spared. It would have been very agreeable[6] if we could have done so, but business is business. Besides, the train was now as much beyond our control as theirs.

'He ceased howling when the train rattled round[7] the curve and they saw the black mouth of the mine yawning[8] before them. We had removed the boards which had covered it, and we had cleared the square entrance. The rails had formerly run very close to the shaft for the convenience of loading the coal, and we had only to add two or three lengths of rail in order to lead to the very brink[9] of the shaft. In fact, as the lengths would not quite fit[10], our line projected about three feet over the edge. We saw the two heads at the window : Caratal below, Gomez above ; but they had both been struck silent by what they saw. And yet they could not withdraw their heads. The sight seemed to have paralysed them.

'I had wondered how the train running at a great speed would take the pit into which I had guided it, and I was much interested in watching it. One of my colleagues thought that it would actually jump it, and indeed it was not very far from doing so. Fortunately, however, it fell short[11] and the buffers of the engine struck the other lip[12] of the shaft with a tremendous crash.

---

1. **to roar** : *rugir ; vrombir ; rire d'un rire tonitruant.*
2. **blood** : prononciation [blʌd].
3. **slaughter-house : to slaughter**, *abattre* des animaux, *massacrer* des êtres humains.
4. **to tear, tore, torn** : *déchirer.*
5. **his meaning** : nom verbal formé en ajoutant **-ing** au verbe. Peut être traduit par *ce qu'il voulait dire*. **Meaning** : *sens, signification.*
6. **agreeable** : *agréable, satisfaisant, qui convient.*

L'autre beugla comme un taureau qui a senti l'odeur de sang de l'abattoir. Il nous vit, debout au bord de la tranchée, et nous fit des signes frénétiques. Puis il arracha de son poignet la serviette où se trouvait les documents et la jeta dans notre direction. Son intention était claire. Les preuves étaient là, et ils promettraient de garder le silence si leurs vies étaient épargnées. Nous aurions été heureux d'aller dans ce sens, mais les affaires sont les affaires. De plus, le train avait maintenant échappé à notre contrôle autant qu'au leur.

Il cessa de hurler quand le train parcourut la courbe dans un bruit de ferraille et qu'ils virent s'ouvrir devant eux la bouche noire de la mine. Nous avions retiré les planches qui la recouvraient, et nous avions dégagé son entrée en forme de carré. Les rails s'arrêtaient jadis tout près du puits pour faciliter le chargement du charbon, et il nous avait suffi d'en ajouter deux ou trois longueurs pour atteindre le bord même de l'orifice. En fait, comme les dimensions ne convenaient pas exactement, ils dépassaient le rebord d'environ trois pieds. Nous voyions les deux têtes à la fenêtre : Caratal en bas, Gomez en haut ; mais ce qu'ils voyaient les avait tous deux réduits au silence. Et pourtant ils ne pouvaient pas rentrer leurs têtes. Le spectacle semblait les avoir paralysés.

Je m'étais demandé comment le train roulant à grande vitesse aborderait le puits vers lequel je l'avais dirigé, et cela m'intéressait beaucoup de l'observer. Un de mes collègues crut qu'en fait il allait le franchir, et ce fut presque le cas. Mais heureusement, son élan ne suffit pas et les tampons de la locomotive frappèrent le côté opposé du puits dans un terrible fracas.

---

7. **rattled round the curve** : la préposition **round** indique le mouvement principal, le verbe en précise les caractéristiques (d'un mouvement saccadé, avec un bruit métallique).
8. **to yawn** : *béer, être béant, être grand ouvert ; bailler.*
9. **brink** : *bord d'un précipide, d'un abîme.* **On the brink of disaster**, *au bord de la catastrophe.*
10. **to fit** : *aller, convenir*, du point de vue de la taille ou des affinités.
12. m. à m. : *la lèvre.*

The funnel flew off into the air. The tender, carriages, and van were all smashed up into one jumble[1], which, with the remains of the engine, choked[2] for a minute or so the mouth of the pit. Then something gave way[3] in the middle, and the whole mass of green iron, smoking coals, brass fittings, wheels, woodwork, and cushions all crumbled[4] together and crashed down into the mine. We heard the rattle, rattle, rattle, as the debris struck against the walls, and then, quite a long time afterwards, there came a deep roar as the remains of the train struck the bottom. The boiler may have burst, for a sharp crash[5] came after the roar, and then a dense cloud of steam and smoke swirled up out of the black depths, falling in a spray[6] as thick as rain all round us. Then the vapour shredded off into thin wisps[7], which floated away in the summmer sunshine, and all was quiet again in the Heartsease mine.

'And now, having carried out our plans so successfully, it only remained to leave no trace behind us. Our little band of workers at the other end had already ripped up[8] the rails and disconnected the side line, replacing everything as it had been before. We were equally busy at the mine. The funnel and other fragments were thrown in, the shaft was planked over as it used to be, and the lines which led to it were torn up and taken away. Then, without flurry[9], but without delay, we all made our way out of the country, most of us to Paris, my English colleague to Manchester, and McPherson to Southampton, whence he emigrated to America. Let the English papers of that date tell how thoroughly[10] we had done our work, and how completely we had thrown the cleverest of their detectives off our track[11].

---

1. **jumble** : *assemblage hétérogène, mélange disparate, enchevêtrement.* **Jumble sale** : *vente d'objets usagés* pour œuvre de charité, *vide-grenier.*
2. **to choke** : *étouffer, suffoquer, étrangler,* empêcher de respirer ; *obstruer.*
3. **to give way** : *céder, fléchir, succomber, casser, se rompre, s'affaisser, ployer, fléchir ; s'altérer.*
4. **to crumble** : *(s')émietter, se désagréger, s'effriter, s'écrouler, s'effondrer.*
5. **crash** : bruit causé par quelque chose qui se brise ou par un choc violent. D'où le sens d'accident de voiture, d'avion.

La cheminée s'envola. Tender, wagons et fourgon s'écrabouillèrent en un enchevêtrement qui, avec ce qui restait de la locomotive, obstrua pendant à peu près une minute l'orifice de la mine. Puis quelque chose céda en son milieu, et toute cette masse d'acier peint en vert, de charbons incandescents, de garnitures en cuivre, de roues, de boiseries, de coussins, s'effondra d'un seul coup et dégringola dans le puits. Nous entendîmes le choc répété des débris rebondissant contre les parois, puis un long moment plus tard, une sourde explosion quand les restes du train s'écrasèrent au fond. La chaudière avait dû exploser, car une détonation sèche suivit le choc, et un épais nuage de vapeur et de fumée s'éleva des profondeurs sombres, retombant en gouttelettes aussi épaisses qu'une pluie tout autour de nous. Puis cette nuée se divisa en minces rubans qui s'éloignèrent dans le soleil estival, et tout fut calme à nouveau dans la mine de Heartseare.

Ayant exécuté nos plans avec un tel succès, il ne nous restait plus qu'à effacer nos traces. Notre petite équipe à l'autre bout de la ligne avait déjà arraché les rails et déconnecté la voie de raccordement, en remettant tout en l'état. Nous nous activions également à la mine. La cheminée et d'autres fragments furent jetés dans le puits, qui fut à nouveau recouvert de planches, et les rails qui y menaient furent enlevés et emportés. Puis, sans panique mais sans délai, nous quittâmes tous le pays, la plupart d'entre nous pour Paris, mon collège anglais pour Manchester et McPherson pour Southampton, d'où il émigra en Amérique. Les journaux de l'époque témoignent de l'efficacité de notre travail et de l'aisance avec laquelle nous fîmes perdre notre piste à leur plus fins limiers.

---

6. **spray** : *1) embrun ; eau pulvérisée, gouttelettes en suspension dans l'air ; 2) atomiseur, vaporisateur.*

7. **wisp** : *poignée* (de paille, d'herbe) ; *ruban, trainée* (de fumée) ; **A little wisp of a man**, *un tout petit bout d'homme.*

8. **to rip up** : de **to rip**, *déchirer, fendre, éventrer.*

9. **flurry** : *1) grain, risée ; rafale de neige ; 2) agitation, émoi, affolement, panique.*

10. **thoroughly** : adverbe formé sur l'adjectif **thorough**, *complet, profond, parfait, minutieux, consciencieux.*

11. **to throw off the track :** ou **to throw off the scent**, *faire perdre la piste, les traces* (aux chiens de chasse).

'You will remember that Gomez threw his bag of papers out of the window, and I need not say that I secured[1] that bag and brought them to my employers. It may interest my employers now, however, to learn that out of that bag I took one or two little papers as a souvenir of the occasion. I have no wish to publish these papers ; but, still, it is every man for himself in this world, and what else can I do if my friends will not come to my aid when I want them ? Messieurs, you may believe that Herbert de Lernac is quite as formidable[2] when he is against you as when he is with you, and that he is not a man to go to the guillotine until he has seen that every one of you is *en route* for New Caledonia[3]. For your own sake, if not for mine, make haste, Monsieur de –, and General –, and Baron – (you can fill up the blanks for yourselves as you read this). I promise you that in the next edition there will be no blanks to fill.

'P.S. – As I look over my statement there is only one omission which I can see. It concerns the unfortunate man McPherson, who was foolish enough to write to his wife and to make an appointment[4] with her in New York. It can be imagined that when interests like ours were at stake, we could not leave them to the chance[5] of whether a man in that class of life[6] would or would not give away his secrets to a woman. Having once broken his oath by writing to his wife, we[7] could not trust him any more. We took steps therefore to ensure that he should not see his wife. I have sometimes thought that it would be a kindness[8] to write to her and to assure her that there is no impediment[9] to her marrying again[10].'

---

1. **to secure** : *1) s'assurer de, obtenir, s'emparer de ; 2) assurer/garantir la sécurité de, sécuriser.*
2. **formidable** : le mot a gardé en anglais son sens etymologique (du latin formidare, avoir peur). D'où « qui est à craindre », *terrible, redoutable*.
3. La Nouvelle Calédonie a effectivement été utilisée comme colonie pénitentiaire pour la France de 1864 à 1896 – mais ce n'était plus le cas en 1898, date donnée par C. Doyle pour la confession de H. de Lernac.
4. **to make an appointment** : *prendre* un *rendez-vous.*
5. **chance** : *hasard, probabilité.* Le français chance au sens de

Vous vous souvenez que Gomez jeta sa serviette de documents par la fenêtre, et il est inutile de préciser que je m'en emparai et les remis à mes employeurs. Mais cela peut intéresser ces derniers de savoir que je prélevai deux ou trois petits papiers en souvenir de l'événement. Je ne souhaite pas les publier ; cependant, c'est chacun pour soi dans ce monde, et que puis-je faire d'autre si mes amis ne viennent pas à mon secours quand j'ai besoin d'eux ? Messieurs, croyez bien qu'Herbert de Lernac est tout aussi redoutable quand il est contre vous que quand il est avec vous et qu'il n'est pas homme à marcher à la guillotine tant qu'il ne se sera pas assuré que chacun d'entre vous est en route pour La Nouvelle Calédonie. Dans votre propre intérêt, sinon dans le mien, hâtez-vous Monsieur de –, Général –, Baron – (vous pouvez vous-même remplir les blancs si vous lisez ces lignes). Je vous promets qu'il n'y aura plus de blancs dans la prochaine édition.

P.S. : À la relecture de ce compte rendu je ne vois qu'une omission. Elle concerne ce malheureux McPherson qui fut assez stupide pour écrire à sa femme et lui donner rendez-vous à New York. On conçoit aisément, des intérêts comme les nôtres étant en jeu, qu'on ne pouvait les laisser dépendre du hasard de savoir si un individu de son extraction confierait ou non ses secrets à sa femme. Il avait déjà rompu son serment en écrivant à sa femme, et nous ne pouvions plus lui faire confiance. Nous prîmes donc des mesures pour qu'il ne revoie pas son épouse. Il m'est arrivé de penser qu'il serait charitable d'écrire à celle-ci pour l'assurer que rien ne s'oppose à ce qu'elle refasse sa vie.

---

bonne fortune se traduit par **luck**.

6. **class of life : social class**.

7. Avec tout le respect que l'on doit à l'auteur, sa grammaire est ici douteuse, par rupture de construction. Les puristes voudraient : **Having..., he could not be trusted any more**, *pour éviter que l'on passe d'un sujet à un autre* (de MacPherson **Having** à **we**).

8. **kindness** : *gentillesse, bonté, preuve de considération.*

9. **impediment** : *gêne, difficulté, empêchement, obstacle.* **Impediment in speech**, *bégaiement.*

10. m. à m. : *à son remariage.*

The Bully of Brocas Court

*La brute de Brocas Court **

* **Brocas Court : Brocas**, nom de lieu ; **court**, château, manoir.

That year – it was in 1878 – the South Midland Yeomanry[1] were out near Luton, and the real question which appealed[2] to every man in the great camp was not how to prepare for a possible European war, but the far more vital one how to get a man who could stand up for ten rounds to Farrier-Sergeant Burton[3]. Slogger[4] Burton was a fine upstanding fourteen stone[5] of bone and brawn[6], with a smack[7] in either hand which would leave any ordinary mortal senseless[8]. A match[9] must be found for him somewhere or his head would outgrow his dragoon helmet. Therefore Sir Fred. Milburn, better known as Mumbles[10], was dispatched to London to find if among the fancy there was no one who would make a journey in order to take down the number of the bold dragoon.

They were bad days, those, in the prize-ring[11]. The old knuckle-fighting[12] had died out in scandal and disgrace, smothered by the pestilent crowd of betting men and ruffians of all sorts who hung upon the edge of the movement and brought disgrace and ruin upon the decent fighting men, who were often humble heroes whose gallantry has never been surpassed. An honest sportsman[13] who desired to see a fight was usually set upon by villains, against whom he had no redress[14], since he was himself engaged on what was technically an illegal action. He was stripped in the open street, his purse taken, and his head split open if he ventured to resist. The ringside could only be reached by men who were prepared to fight their way there with cudgels and hunting-crops.

---

1. **yeomanry** : à l'origine, corps de cavalerie composé de petits propriétaires fonciers qui fournissaient leurs montures.
2. **to appeal** : *1) attirer, séduire, charmer ; 2) faire appel* (devant tribunaux).
3. **farrier** : *maréchal ferrant*, ayant ici le grade de sergent dans son régiment de cavalerie.
4. **Slogger** : *surnom* (le Cogneur) venant de **to slog**, *cogner violemment, donner de grand coups*. Autre sens de **to slog, slogger**, *travailler avec acharnement, bûcheur.*
5. **stone** : nom invariable, 6,348 kg.
6. **brawn** : *muscle.* L'adjectif **brawny**, *musculeux* est plus fréquent.
7. **smack** : *claque, claquement.* **To smack**, *claquer, faire claquer, donner une gifle.*
8. m.à m. ; *qui laisserait n'importe quel mortel ordinaire inconscient.*

Cette année là, 1878, la Cavalerie du Sud des Midlands était en exercice près de Luton, et la vraie question pour tous les hommes dans le vaste campement n'était pas de savoir comment se préparer à un éventuel conflit européen, mais celle, bien plus importante, de trouver un individu capable de tenir dix rounds contre le Maréchal Ferrant Chef Burton.

Burton le Cogneur, c'était un bel athlète de quatre-vingt-dix kilos d'os et de muscle, avec dans chaque poing une capacité de frappe propre à étendre pour le compte tout mortel ordinaire. Il fallait lui trouver un adversaire à sa mesure, ou sa tête ne tiendrait plus dans son casque. C'est pourquoi Sir Fred Milburn, dit Mumbles, fut envoyé à Londres pour voir si parmi les meilleurs quelqu'un ne ferait pas le voyage pour mettre un terme au règne de l'indomptable dragon.

La boxe connaissait alors une période noire. La pratique ancienne du combat à mains nues avait été tuée par le scandale et le déshonneur, étouffée par l'ignoble cohorte de parieurs et de voyous de toutes sortes qui gravitaient autour, causant la honte et la ruine d'honnêtes combattants, qui étaient souvent d'humbles héros dont le courage n'a jamais été surpassé. Un respectable amateur de l'art désirant suivre un combat était fréquemment attaqué par des gouapes contre lesquelles il n'avait aucun recours, étant lui-même dans l'illégalité. Il était dépouillé en pleine rue, on lui volait sa bourse, et on lui fendait le crâne s'il tentait de résister. N'atteignaient le bord du ring que des hommes prêts à se battre à coups de gourdin et de cravache pour y parvenir.

---

9. **match : to find one's match**, *trouver son égal, trouver à qui parler*. De **to match**, *égaler ; assortir.*

10. **Mumbles** : *surnom* – terminé par « s » comme **Fats**, etc – venant de **to mumble**, *marmonner*, par approximation du nom **Milburn** et allusion probable à l'élocution parfois indistincte de certains aristocrates.

11. **prize-ring** : domaine de la boxe professionnelle, où le vainqueur était rémunéré par un prix en espèces.

12. **knuckle-fighting** : de **knuckle**, *articulation, jointure* (des doigts). **To knuckle**, *frapper ou frotter avec le poing.* **To knuckle under**, *céder, se soumettre*, « mettre les pouces ».

13. **sportsman** : *amateur de sports, sportif*, s'applique aussi aux pêcheurs et chasseurs.

14. **redress** : *répartition* (légale). **To seek redress**, *demander réparation/justice.*

No wonder that the classic[1] sport was attended now by those only who had nothing to lose.

On the other hand, the era of the reserved building and the legal glove-fight had not yet arisen, and the cult[2] was in a strange intermediate condition. It was impossible to regulate it, and equally impossible to abolish it, since nothing appeals more directly and powerfully to the average Briton. Therefore there were scrambling[3] contests in stableyards and barns, hurried visits to France, secret meetings at dawn in wild parts of the country, and all manner of evasions[4] and experiments. The men themselves became as unsatisfactory as their surroundings. There could be no honest open contest, and the loudest bragger talked his way to the top of the list[5]. Only across the Atlantic had the huge figure of John Lawrence Sullivan appeared, who was destined to be the last of the earlier system and the first of the later one.

Things being in this condition, the sporting Yeomanry Captain found it no easy matter among the boxing saloons and sporting pubs of London to find a man who could be relied upon[6] to give a good account[7] of the huge Farrier-Sergeant. Heavy-weights were at a premium[8]. Finally his choice fell upon Alf Stevens of Kentish Town, an excellent rising middle-weight who had never yet known defeat and had indeed some claims[9] to the championship. His professional experience and craft would surely make up for the three stone of weight which separated him from the formidable dragoon.

---

1. **classic** : à la fois parce qu'il constituait une tradition, et par le haut niveau qu'on lui attribuait (cf. « le noble art »), prisé qu'il était par les membres de l'aristocratie.

2. **cult** : *1) culte ; 2) secte* ; aussi groupe ayant un amour commun pour une activité sportive, intellectuelle, etc.

3. **to scramble** : *jouer des pieds et des mains, se mouvoir à quatre pattes ; se bousculer, se battre pour s'emparer de quelque chose.*

4. **evasion** : *moyen ou tentative d'éviter, subterfuge, échappatoire, faux-fuyant.* **Tax-evasion**, *évasion fiscale.*

5. m. à m. : *avançait par la parole jusqu'au sommet de la liste.* « **His way** » joue le même rôle qu'une pré- ou post-position,

Rien d'étonnant à ce que n'assistent à ce sport classique que ceux qui n'avaient rien à perdre.

Par ailleurs, l'époque du bâtiment spécial et du combat légal avec gants n'était pas encore arrivée, et le noble art se trouvait dans une étrange situation intermédiaire ; il était impossible de le réglementer, et également impossible de l'abolir, car rien ne séduit plus direcement et puissamment le Britannique moyen. C'est pourquoi il y avait des combats à la sauvette dans des écuries et des granges, des voyages éclair en France, des réunions secrètes à l'aube dans des régions éloignées, et toutes sortes de subterfuges et d'improvisations. Les acteurs eux-mêmes devinrent aussi douteux que leur environnement. On ne pouvait plus organiser ouvertement un combat honnête, et le plus vantard réussissait à faire croire qu'il était le meilleur. Ce n'est que de l'autre côté de l'Atlantique qu'avait émergé la stature gigantesque de John Lawrence Sullivan, comme le dernier représentant de l'ancien système, et le premier du nouveau.

Les choses en étant là, il ne fut pas aisé pour le capitaine de cavalerie amateur de sport de trouver dans les salles de boxes et les cabarets à exhibition de Londres un homme capable de tenir tête à l'impressionnant Maréchal Ferrant. Les poids lourds étaient trop recherchés. Il finit par choisir Alf Stevens, de Kentish Town, un excellent poids moyen en pleine ascension, qui n'avait jamais été battu et qui avait quelques droits à se présenter comme le champion. Son expérience et son adresse compenseraient certainement les vingt kilos qu'il rendait au redoutable dragon.

---

indiquant le mouvement, « **to talk** » indique la manière.

6. m.à m. : *sur qui on pouvait compter (pour...).*

7. **to give a good account of** : l'expression usuelle est **to give a good account of oneself**, *bien se comporter.* Comprendre ici « bien se comporter en face de », ou même « régler son compte à ».

8. **at a premium** : signifie qu'une prime (**premium**), s'ajoute au cours ou au salaire normal. Se traduira selon les contextes par : *au-dessus du cours, avec bénéfice, très recherché*, etc.

9. **claim** : *1) réclamation, revendication ; droit, titre, prétention* (justifiée) *; 2) affirmation.*

It was in this hope that Sir Fred. Milburn engaged him, and proceeded to convey him in his dog-cart[1] behind a pair of spanking[2] greys to the camp of the Yeomen. They were to start one evening, drive up the Great North Road[3], sleep at St. Albans, and finish their journey next day.

The prize-fighter met the sporting Baronet at the Golden Cross[4], where Bates, the little groom, was standing at the head of the spirited horses. Stevens, a pale-faced, clean-cut[5] young fellow, mounted beside his employer and waved his hand to a little knot[6] of fighting men, rough, collarless, reefer-coated fellows who had gathered to bid[7] their comrade good-bye. 'Good luck, Alf !' came in a hoarse chorus as the boy released the horses' heads and sprang[8] in behind, while the high dog-cart swung swiftly round[9] the curve into Trafalgar Square.

Sir Frederick was so busy steering[10] among the traffic in Oxford Street and the Edgware Road that he had little thought for anything else, but when he got into the edges[11] of the country near Hendon, and the hedges had at last taken the place of that endless panorama of brick dwellings, he let his horses go easy with a loose rein while he turned his attention to the young man at his side. He had found him by correspondence and recommendation, so that he had some curiosity now in looking him over. Twilight was already falling and the light dim[12], but what the Baronet saw pleased him well. The man was a fighter every inch, clean-cut, deep-chested, with the long straight cheek and deep-set eye which goes with an obstinate courage.

---

1. **dog-cart** : *voiture à deux roues élevées*, aménagée pour loger des chiens de chasse sous le siège.
2. **spanking** : *de premier ordre, épatant.* **Spanking new**, *flambant neuf* (**brand new**).
3. **the Great North Road** : *allant de Londres jusqu'en Ecosse.*
4. **the Golden Cross** : *la Croix Dorée*, nom de pub ou d'auberge.
5. **clean-cut** : *nettement découpé, bien découplé* – le terme implique souvent une idée de santé physique et morale. **Clean-cut features**, *des traits fermes et agréables.*
6. **knot** : *nœud ; petit groupe, troupe, noyau* (de personnes). Rappel : à l'initiale devant « n », le « k » n'est pas prononcé (**knot, knock, knuckle**, etc.).
7. **to bid, bade/bid, bidden/bid** : *1) commander, ordonner ;*

C'est dans cet espoir que Sir Fred Milburn l'engagea, et entreprit de l'emmener dans son dog-cart tiré par deux fringants chevaux gris jusqu'au camp de la cavalerie. Ils devaient partir le soir, remonter la grande route du nord, dormir à St-Albans et terminer leur voyage le jour suivant.

Le pugiliste rejoignit le Baronet amateur de sport au Golden Cross, ou Bates, le jeune palefrenier, se tenait à la tête des fougueux coursiers. Stevens, un jeune homme au visage pâle, aux traits réguliers, monta à côté de son employeur et salua de la main un petit groupe de boxeurs, hommes frustes, sans cols et portant vareuse qui s'étaient rassemblés pour dire au revoir à leur collègue. « Bonne chance, Alf ! » jaillit de ce chœur enroué alors que le palefrenier lâchait la bride des chevaux et sautait à l'arrière de la voiture, et que celle-ci s'engageait rapidement dans la courbe donnant sur Trafalgar Square.

Sir Frederick était si concentré sur sa conduite au milieu de la circulation d'Oxford Street et d'Edgware Road qu'il ne pensait guère à autre chose, mais dès qu'il arriva aux abords de la campagne, près de Hendon, et que les haies eurent enfin remplacé les alignements monotones de maisons de brique, il laissa aller les chevaux en relâchant les rênes et tourna son attention vers le jeune homme à ses côtés. Il l'avait trouvé par courrier et sur recommandation, si bien qu'il était maintenant plutôt curieux de l'étudier. C'était déjà le crépuscule et la lumière baissait, mais ce que vit le Baronet le combla d'aise. L'homme était un combattant de la tête aux pieds, bien découplé, avec un torse puissant, et ces joues rectilignes et tout en hauteur, ces yeux enfoncés dans les orbites qui annoncent le courage opiniâtre.

---

2) inviter ; 3) souhaiter (la bienvenue), dire (au revoir, adieu) ; 4) (s')annoncer ; 5) (enchères) faire une offre, enchérir.

8. **to spring, sprang, sprung** : *bondir, sauter, jaillir ; apparaître, se dresser.* **To spring from**, *provenir de, venir de, descendre de.* **A spring** : *1) une source ; 2) un ressort ; 3) un saut, un bond.*

9. **to swing, swung, swung** : *se balancer.* **To swing round** : *tourner, se retourner, changer de direction, prendre un virage.*

10. **to steer** : *conduire,diriger, gouverner (un bateau), barrer.* **Steering-wheel** : *volant.*

11. **edge** : *bord, rebord ; confins, bordure, lisière ; tranchant, arête, angle, crête.*

12. **dim** : *faible, pâle, indistinct, imprécis, vague, confus.*

Above all, he was a man who had never yet met his master and was still upheld[1] by the deep sustaining confidence which is never quite the same after a single defeat. The Baronet chuckled as he realized what a surprise packet was being carried north[2] for the Farrier-Sergeant.

'I suppose you are in some sort of training[3], Stevens ?' he remarked, turning to his companion.

'Yes, sir ; I am fit to fight for my life[4].'

'So I should judge by the look of you.'

'I live regular all the time, sir, but I was matched against Mike Connor for this last week-end and scaled down[5] to eleven four. Then he paid forfeit[6], and here I am at the top of my form.'

'That's lucky. You'll need it all against a man who has a pull of three stone and four inches[7].'

The young man smiled.

'I have given greater odds[8] than that, sir.'

'I dare say[9]. But he's a game man[9] as well.'

'Well, sir, one can but do one's best.'

The Baronet liked the modest but assured tone of the young pugilist. Suddenly an amusing thought struck him, and he burst out laughing.

'By Jove[10] !' he cried. 'What a lark[11] if the Bully[12] is out tonight !'

Alf Stevens pricked up his ears.

'Who might he be, sir ?'

'Well, that's what the folk are asking.

---

1. **to uphold, upheld, upheld** : *soutenir, supporter, maintenir, encourager, confirmer.* **To uphold the law**, *faire observer la loi.*
2. m. à m. : *était en train d'être transporté vers le nord.*
3. **training** : désigne tout ce qui entraîne et prépare à une activité. Pourra donc, selon contexte, être traduit par *entraînement, préparation, formation, éducation, instruction, apprentissage, dressage…*
4. m. à m. : *en forme pour me battre pour ma vie, à mort.*
5. **to scale down** : de **scale**, *plateau de balance*, et de l'ancien verbe **to scale**, *peser* ; signifie donc *perdre du poids.* En anglais moderne, **to scale down** veut dire *réduire proportionnellement.*
6. **forfeit** : *dédit, amende, forfait.* **To forfeit something**, *renon-*

Surtout, c'était un homme qui n'avait jamais trouvé son maître et était toujours porté par cette profonde confiance en soi qu'on ne retrouve jamais tout à fait après la première défaite. Le Baronet gloussa d'amusement en pensant au cadeau surprise que l'on s'apprêtait à livrer au Maréchal Ferrant en chef.

« Je suppose que vous vous êtes entraîné, Stevens ? » remarqua-t-il en se tournant vers son compagnon.

« Oui monsieur. Je suis aussi en forme qu'il est possible. »

« C'est l'impression que j'ai en vous regardant. »

« Je mène toujours une vie saine, monsieur, mais je devais affronter Mike Connor à la fin de la semaien dernière, et je suis descendu à soixante-douze kilos. Et alors il a payé le dédit, et me voilà au sommet de ma forme. »

« Ça tombe bien. Il vous faudra tous vos moyens en face d'un homme qui a un avantage de dix-huit kilos et de dix centimètres. »

Le jeune homme sourit.

« J'ai connu de plus lourds handicaps, monsieur. »

« D'accord. Mais c'est quand même un client sérieux. »

« Eh bien monsieur, on ne peut que faire de son mieux. »

Le Baronet apprécia le ton modeste mais confiant du jeune pugiliste. Une idée amusante le frappa soudain et il éclata de rire.

« Nom d'un chien ! » s'écria-t-il. « Quelle occasion si la Brute est de sortie ce soir ! »

Alf Stevens dressa l'oreille.

« Qui ça peut être, monsieur ? »

« C'est justement ce que les gens se demandent.

---

cer à quelque chose, perdre, se voir retirer/confisquer quelque chose.

7. **inch** : *2,54 cm.*

8. **odds** : *les chances.* **The odds are against us/in our favour**, *les chances sont contre/pour nous.* **To give** a ici son sens de céder, être en infériorité.

9. **game** : *courageux, résolu, fin prêt, prêt à combattre.*

10. **by Jove** : m. à m. : *par Jupiter.*

11. **lark** : *farce, blague, rigolade, plaisanterie, partie de plaisir.*

12. **Bully** : utilisé ici comme surnom. **Bully** : *brute, fier à bras*, désigne en particulier un élève qui brutalise et terrorise les petits.

Some say they've seen him, and some say he's a fairy-tale[1], but there's good evidence that he is a real man with a pair of rare good fists that leave their marks behind him.'

'And where might he live ?'

'On this very road. It's between Finchley and Elstree, as I've heard. There are two chaps[2], and they come out on nights when the moon is at full and challenge the passers-by[3] to fight in the old style. One fights and the other picks up[4]. By George ! the fellow *can* fight, too, by all accounts[5]. Chaps have been found in the morning with their faces all cut to ribbons[6], to show that the Bully had been at work upon them.'

Alf Stevens was full of interest.

'I've always wanted to try an old-style battle, sir, but it never chanced[7] to come my way[8]. I believe it would suit me better than the gloves.'

'Then you won't refuse the Bully ?'

'Refuse him ! I'd go ten mile to meet him.'

'By George ! it would be great !' cried the Baronet. 'Well, the moon is at the full, and the place should be about here.'

'If he's as good as you say,' Stevens remarked, 'he should be known in the ring, unless he is just an amateur who amuses himself like that.'

'Some think he's an ostler, or maybe a racing man[9] from the training stables over yonder. Where there are horses there is boxing. If you can believe the accounts, there is something a bit queer and outlandish[10] about the fellow.

---

1. **fairy-tale** : *conte de fées.*
2. **chap** : (terme familier) *type, individu, gars, garçon.*
3. **passers-by** : dans les mots composés d'un nom + postposition, le pluriel se fait en ajoutant « s » au nom (**lookers-on**, *spectateur*). Quand il s'agit de verbe + postposition, on ajoute le « s » à la postposition (**lay-offs**, *licenciements*).
4. **the other picks up** : il faut donner ici un sens général à **to pick up** : *s'occuper du reste.* Ce qui inclut ramasser les vêtements (cf. la fin du texte : « **His companion, swearing loudly, picked up the pile of clothes...** »), *éventuellement ramasser l'argent, ou même choisir l'adversaire.* Penser aussi à **to pick up a fight**, *chercher querelle, chercher la bagarre.* **To pick up** *1) ramasser ; 2) choisir.*

Certains disent qu'ils l'ont vu, d'autres que c'est une légende, mais il y a de bonnes preuves que c'est un homme en chair et en os armé d'une paire de poings exceptionnels avec lesquels il laisse sa marque. »

« Et où peut-il vivre ? »

« Ici, sur cette route. Entre Finchley et Elstree, à ce qu'on m'a dit. Ils sont deux, et ils sortent par les nuits de pleine lune et lancent un défi aux passants pour un combat à l'ancienne. L'un se bat et l'autre l'assiste. Par St-Georges, ce type *sait* se battre, c'est sûr, d'après tous les témoignages. On a retrouvé des gars au matin avec le visage découpé en lanières, à la suite du traitement que leur avait infligé la Brute. »

Alf Stevens était très intéressé.

« J'ai toujours voulu essayer de me battre à l'ancienne, monsieur, mais l'occasion ne s'est jamais présentée. Je pense que ça m'irait mieux qu'avec les gants. »

« Alors vous ne refusez pas d'affronter la Brute ? »

« Refuser ! Je ferais quinze kilomètres pour le rencontrer. »

« Par St-Georges ! ça serait formidable ! » s'écria le Baronet. « Ah, la lune est pleine, et ça doit être à peu près ici. »

« S'il est aussi bon que vous le dites », déclara Stevens, « il doit être connu dans le milieu, à moins que ce ne soit un amateur qui fait ça pour s'amuser. »

« Certains pensent que c'est un palefrenier, ou peut-être un cavalier des écuries de dressage là-bas. Là où il y a des chevaux il y a de la boxe. Si on en croit les récits, il y a quelques chose d'un peu bizarre, étrange chez ce type.

---

5. **account** : *compte-rendu, rapport, récit, relation, narration.*
6. **ribbon** : *ruban, lanière, bande, lambeau.*
7. **to chance** : *1) arriver/se produire par hasard ; 2) risques, courir la chance de* – **I'm going to chance it**, *je vais prendre le risque.*
8. m. à m. : *n'est jamais venu sur mon chemin, n'est jamais venu à moi.*
9. **racing man** : désigne quelqu'un qui appartient au monde des courses, du propriétaire d'une écurie à ceux qui participent au sport et à l'entraînement des chevaux.
10. **outlandish** : *qui vient d'une terre étrangère* (d'où nécessairement bizarre, incongru, étrange, etc. !)

Hi ! Look out, damn you, look out !'

The Baronet's voice had risen to a sudden screech[1] of surprise and of anger. At this point the road dips down into a hollow, heavily shaded[2] by trees, so that at night it arches across like the mouth of a tunnel[3]. At the foot of the slope there stand two great stone pillars, which, as viewed by daylight are lichen-stained[4] and weathered[5], with heraldic devices[6] on each which are so mutilated by time that they are mere protuberances of stone. An iron gate of elegant design, hanging loosely[7] upon rusted hinges, proclaims both the past glories and the present decay of Brocas Old Hall, which lies at the end of the weed-encumbered avenue. It was from the shadow of this ancient[8] gateway[9] that an active figure had sprung suddenly into the centre of the road and had, with great dexterity, held up the horses, who ramped[10] and pawed as they were forced back upon their haunches.

'Here, Rowe, you 'old the tits, will ye ?[11] cried a high strident voice. 'I've a little word to say to this 'ere slap-up Corinthian[12] before 'e goes any farther.'

A second man had emerged from the shadows and without a word took hold of the horses' heads. He was a short, thick fellow, dressed in a curious brown many-caped overcoat, which came to his knees, with gaiters and boots[13] beneath it. He wore no hat, and those in the dog-cart had a view, as he came in front of the side-lamps, of a surly[14] red face with an ill-fitting lower lip clean shaven, and a high black cravat swathed tightly under the chin.

---

1. **screech** : *cri perçant, rauque, discordant.*
2. **to shade** : *faire de l'ombre, ombrager.* Pour traduire « ombre », l'anglais dispose de deux mots : **shade** (ombre du point de vue de la fraîcheur), et **shadow** (ombre portée).
3. m. à m. : *il forme une arche au travers comme l'orée d'un tunnel.*
4. **to stain** : *tacher, souiller ; (bois, verre) teinter.*
5. **weathered** : *exposé aux intempéries, patiné, érodé.*
6. **device** : *1) appareil, engin, mécanisme, invention ; 2) plan, moyen, formule ; 3) emblême ; devise.*
7. **loosely** : adverbe formé sur l'adjectif **loose**, *relaché, peu tendu, lâche.*
8. **ancient** : *antique, ancien, très vieux.* La Grèce antique : **ancient Greece**.

Holà ! Faites attention, sacrebleu, attention ! »

La voix du Baronet s'était soudain transformée en un cri rauque de surprise et de colère. La route a cet endroit plonge dans une cuvette fortement ombragée d'arbres si bien que la nuit on se croirait sous la voûte d'un tunnel. En bas de la pente se dressent deux grands piliers de pierre qui, vus le jour, sont recouverts de lichen et usés par le temps, et portent chacun des armoiries si anciennes qu'il n'en reste que des protubérances.

Un portail métallique de facture élégante, pendant à des gonds rouillés, témoigne à la fois de la gloire passée et de l'actuel abandon du vieux manoir de Brocas, qui se trouve au bout d'une allée envahie par les mauvaises herbes. C'est de l'ombre de cet antique porte cochère qu'une silhouette rapide avait soudain bondi au milieu de la route et avait fort adroitement stoppé les chevaux qui levaient leurs antérieurs et piaffaient alors qu'on les repoussait sur leur arrière-train. « Viens, Rowe, tu tiens les canassons hein ? » cria une voix stridente. « J'ai un mot à dire à ce sportsman de la haute avant qu'il passe son chemin. »

Un second personnage émergea de l'ombre et saisit sans un mot les chevaux au mors. C'était un petit homme corpulent, vêtu d'un bizarre manteau brun à plusieurs volants, qui lui descendait jusqu'au genoux, au-dessous desquels il portait guêtres et bottines. Il n'avait pas de chapeau, et les voyageurs du dog-cart purent voir, quand il fut devant les lanternes, une face rougeaude et maussade, avec un menton glabre qui s'y accordait mal, et une haute cravate noire étroitement nouée au-dessous.

---

9. **gateway** : *portail, porte d'entrée.* Souvent utilisé au sens de point d'entrée dans, lieu d'accès à un pays (port, ville frontière, etc.)

10. **to ramp** : *se dresser sur ses pattes de derrière* (lion, cheval).

11. **tit(s) :** *bidet(s), canasson(s),* mot archaïque. **Tits** signfiie aujourd'hui en langue (très familière) ; *seins, nichons, nénés.* Autre sens : **a tit**, *une mésange.* **Will ye** : forme archaïque ou populaire de **Will you**.

12. **slap-up** : *fameux, extra, chic, de classe.* **Corinthian** : *1) habitant de la ville grecque de Corinthe ; 2) gentleman amateur d'un sport.* Ce sens (archaïque) se retrouve dans le nom de plusieurs clubs sportifs.

13. **boots** : *bottes,* mais aussi grosses chaussures.

14. **surly** : *revêche, maussade, bourru, renfrogné.*

As he gripped the leathers[1] his more active comrade sprang forward and rested a bony hand upon the side of the splashboard[2] while he looked keenly up with a pair of fierce blue eyes at the faces of the two travellers, the light beating full upon his own features. He wore a hat low upon his brow[3], but in spite of its shadow both the Baronet and the pugilist could see enough to shrink from him, for it was an evil face, evil but very formidable, stern[4], craggy[5], high-nosed, and fierce, with an inexorable mouth which bespoke[6] a nature which would neither ask for mercy nor grant it. As to his age, one could only say for certain that a man with such a face was young enough to have all his virility and old enough to have experienced all the wickedness[7] of life. The cold, savage eyes took a deliberate survey, first of the Baronet and then of the young man beside him.

'Aye, Rowe, it's a slap-up Corinthian, same as I said,' he remarked over his shoulder to his companion. 'But this other is a likely chap. If'e isn't a millin' cove 'e[8] ought to be. Any'ow, we'll try 'im out[9].'

'Look here,' said the Baronet, 'I don't know who you are, except that you are a damned impertinent fellow. I'd put the lash[10] of my whip across your face for two pins[11] !'

'Stow that gammon[12], gov'nor[13] ! It ain't[14] safe to speak to me like that.'

'I've heard of you and your ways !' cried the angry soldier.

---

1. **leathers** : de **leather**, *le cuir.*
2. **splashboard** : m. à m. : *planche* (**board**), destinée à éviter les éclaboussures (**to splash**, éclabousser).
3. **brow** [brau] : *front* (mot noble). **Lowbrow**, adj. et nom, (personne) *terre à terre, sans goût intellectuel ou sens artistique* ; **highbrow**, adj. et nom, *intellectuel.* Le pluriel **(eye)brows** signifie *sourcils.*
4. **stern** : *sévère, rigide, dur, rigoureux.*
5. **craggy** : de **crag**, *escarpement*, signfiie *escarpé, rocailleux.* S'applique souvent à un visage anguleux, viril, taillé à coup de serpe.
6. **to bespeak, bespoke, bespoken** : *révéler, annoncer, trahir.*
7. **wickedness** : le suffixe « ness » permet de former des noms à partir de nombreux adjectifs ou participes passés (cf. **sadness, happiness, darkness**, etc.). **wicked** : *mauvais, méchant, pervers.*

Alors qu'il saisissait les brides son compagnon plus actif s'élançait pour poser une main osseuse sur le rebord du garde-boue tout en levant le regard pénétrant de ses yeux bleus farouches sur le visage des deux voyageurs, tandis que la lumière éclairait en plein ses propres traits. Il portait un chapeau enfoncé sur le front, mais malgré l'ombre ainsi projetée, le Baronet et le pugiliste en virent assez pour avoir un mouvement de recul, car ce visage était mauvais, mauvais mais terrible, dur, rugueux, avec un nez saillant, une expression brutale et une bouche implacable qui annonçait le refus de demander ou d'accorder merci. Quant à son âge, on pouvait seulement dire avec certitude que ce visage était celui d'un homme assez jeune pour être dans la plénitude de sa force, mais assez vieux pour avoir connu toutes les vicissitudes de la vie. Les yeux froids et cruels étudièrent attentivement d'abord le Baronet, puis le jeune homme à ses côtés.

« Hé, Rowe, c'est un sportsman de la haute, comme j'te disais » dit-il par-dessus son épaule à son compagnon. « Mais l'autre fera l'affaire. Si c'est pas un champion du ring, il devrait s'y mettre. En tout cas, on va voir c'qu'il vaut. »

« Dites donc », s'écria le Baronet, « je ne sais pas qui vous êtes, mais je vous trouve diablement impertinent. Pour un peu je vous cinglerais le visage d'un bon coup de fouet. »

« Remballe tes boniments, patron. C'est pas prudent d'me parler comme ça. »`

« J'ai entendu parler de vous et de vos manières. » dit le soldat courroucé.

---

8. **millin' cove** : (archaïque) de **to mill**, *frapper à coups de poings, cogner, boxer*, et de **cove**, type, individu. Pourrait être traduit par boxeur professionnel, professionnel du ring, gars du ring.
9. Dans ces deux dernières phrases, ce personnage ne prononce pas les « h », ce qui révèle ses origines populaires.
10. **lash** : *coup de fouet, lanière ou mêche de fouet.* **To lash** : *cingler.* **To lash out (at...)**, *se déchaîner (contre...).*
11. **for two pins** : m.à m. : *pour deux épingles.*
12. **stow that gammon : to stow**, *ranger, arrimer, mettre de côté* ; **gammon**, *blague, baratin, boniment, baliverne(s)* (premier sens : *quartier arrière du porc*).
13. **governor** : désigne en langue familière et un peu datée l'employeur, le chef ou le père. Était employé au sens de Monsieur par les chauffeurs de taxi, etc., parfois abrégé en **Gov**.
14. **ain't** : contraction familière de **am not**, ou, comme ici, **is not**.

'I'll teach you to stop my horses on the Queen's high road ! You've got the wrong men[1] this time, my fine fellow, as you will soon learn.'

'That's as it may be,' said the stranger. 'May'ap[2], master, we may all learn something before we part. One or other of you 'as to get down and put up your 'ands before you get any farther.'

Stevens had instantly sprung down into the road.

'If you want a fight you've come to the right shop[3],' said he ; 'it's my trade, so don't say I took you unawares[4].'

The stranger gave a cry of satisfaction.

'Blow my dickey[5] !' he shouted. 'It *is* a millin' cove, Joe, same as I said. No more chaw-bacons[6] for us, but the real thing[7]. Well, young man, you've met your master tonight. Happen you never 'eard what Lord Longmore said o' me ? "A man must be made special to beat you," says 'e. That's wot[8] Lord Longmore said.'

'That was before the Bull came along,' growled the man in front, speaking for the first time.

'Stow your chaffing[9], Joe ! A little more about the Bull, and you and me will quarrel. 'E bested me once, but it's all betters and no takers[10] that I glut[11]'im if ever we meet again. Well, young man, what d'ye think of me ?'

'I think you've got your share of cheek[12].'

'Cheek. Wot's that ?'

'Impudence, bluff – gas[13], if you like.'

The last word had a surprising effect upont he stranger.

---

1. **the wrong men** : *ceux qui ne conviennent pas, le contraire de ce que vous attendiez, ceux qu'ils ne fallait pas provoquer.*
2. **May'ap = Mayhap, it may happen that** : peut-être. Forme archaïque.
3. m. à m. : *vous êtes venu dans la bonne boutique.*
4. **unawares** : *à l'improviste, au dépourvu ; par mégarde.*
5. **Blow my dickey** : de **blow** au sens de **damned**, et **dickey**, *âne.*
6. **chaw-bacon** : (archaïque) *rustre,croquant, pedzouille.* **To chaw** : *mâcher, mâchonner* (Cf. **to chew**, *mâcher, mastiquer*).
7. **the real thing** : *l'authentique*, par opposition à ce qui est

Je vais vous apprendre à arrêter mes chevaux sur la route de la Reine ! Vous êtes mal tombé cette fois-ci, mon bon, vous allez vite le comprendre. »

« C'est comme ça se trouve », dit l'étranger. P'tet'bien, monsieur, qu'on aura tous appris quelque chose avant de nous quitter. L'un de vous deux doit descendre et se servir de ses poings avant d'aller plus loin. »

Stevens avait déjà sauté de la voiture.

« Si tu veux te battre, tu as choisi le bon numéro » dit-il ; c'est mon métier, alors ne dit pas que je t'ai pris en traître. »

L'étranger poussa un cri de satisfaction.

« Par tous les diables ! » s'écria-t-il, c'*est* un vrai champion, Joe, comme je disais. Fini les pedzouilles, ça c'est du vrai. Eh bien, mon gars, tu as trouvé ton maître ce soir. T'as p'têt jamais entendu c'que Lord Longmore disait d'moi ? « Il faudrait un surhomme pour vous battre », qu'il dit. C'est c'que Lord Longmore a dit.

« C'était avant le passage du Taureau. » grogna l'homme devant la voiture, parlant pour la première fois.

« Arrête ton char, Joe. Encore un mot sur le Taureau et on va se quereller. Y m'a battu une fois, mais c'est cent contre un que je l'assomme si jamais on se rencontre à nouveau. Eh bien jeune homme, qu'est-ce que tu penses de moi ?

« Je pense que tu ne manques pas d'aplomb. »

« Aplomb ? c'est quoi ça ? »

« Le culot, le bluff. Ça veut dire que tu ne manques pas d'air. »

Ce dernier mot eut un effet étonnant sur l'étranger.

---

imparfait ou artificiel.

8. **wot : what**.

9. **chaffing** : de **to chaff**, *plaisanter, blaguer, taquiner, railler.*

10. **all betters and no takers** : m. à m. : *tous parieurs et pas de preneurs.* Autrement dit personne ne fait le pari contraire. **To bet** : *parier.*

11. **to glut** : *rassasier, assouvir, encombrer, inonder* ; ici, *accabler de coups.*

12. **cheek** : *toupet, effronterie, insolence, culot, aplomb.*

13. Nous apprendrons plus loin que ce boxeur était surnommé « **The gasman** » – d'où l'effet que le mot « gas » fait sur lui.

He smote[1] his leg with his hand and broke out into a high neighing laugh[2], in which he was joined by his gruff[3] companion.

'You've said the right word, my beauty,' cried the latter, '"Gas" is the word and no error. Well, there's a good moon, but the clouds are comin' up. We had best use the light while we can[4].'

Whilst this conversation had been going on the Baronet had been looking with an ever-growing amazement at the attire[5] of the stranger. A good deal of it confirmed his belief that he was connected with some stables, though making every allowance[6] for this his appearance was very eccentric and old-fashioned. Upon his head he wore a yellowish-white top-hat of long-haired beaver, such as is still affected by some drivers of four-in-hands[7], with a bell crown and a curling[8] brim. His dress consisted of a short-waisted swallow-tail[9] coat, snuff[10]-coloured, with steel buttons. It opened in front to show a vest of striped silk, while his legs were encased in buff knee-breeches[11] with blue stockings and low shoes. The figure was angular and hard, with a great suggestion of wiry[12] activity. This Bully of Brocas was clearly a very great character, and the young dragoon officer chuckled as he thought what a glorious story he would carry back to the mess of this queer old-world figure and the thrashing which he was about to receive from the famous London boxer.

Billy, the little groom, had taken charge of the horses, who were shivering and sweating.

---

1. **to smite, smote, smitten** : *frapper.*
2. **neighing** : de **to neigh**, *hennir.*
3. **gruff** : *bourru, bougon, rébarbatif, revêche.*
4. m.à m. : *nous ferions mieux d'utiliser la lumière pendant que nous le pouvons* (**to have better/best** + infinitif sans **to**).
5. **attire** : *vêtement, costume* (mot littéraire).
6. **to make allowance for, to allow for** : *tenir compte de, faire la part de, avoir égard à.*

Il se frappa la jambe de la main et éclata d'un rire chevalin, imité par son compagnon à l'air bougon.

« T'as dit le mot, mon joli ! » s'écria-t-il, « air » c'est bien le mot, y'a pas d'erreur. Bon. Y a un bon clair de lune, mais les nuages arrivent. Allons-y pendant qu'on y voit. »

Pendant cette conversation le Baronet avait étudié avec un étonnement croissant l'accoutrement de l'étranger. Il y trouva largement matière à confirmer que ce dernier travaillait pour une écurie, sans que cela expliquât son apparence excentrique et démodée. Il portait un haut-de-forme d'un blanc jaunâtre en castor à longs poils, du genre encore prisé par certains conducteurs d'attelage à quatre, avec calotte en cloche et bord relevé. Il était vêtu d'une queue-de-pie, courte devant, de couleur tabac, avec boutons d'acier. Elle s'ouvrait sur un gilet de soie à rayures, tandis que ses jambes étaient gainées de culottes courtes avec des bas bleus et des souliers bas. Sa silhouette était anguleuse et dure et donnait une grande impression d'énergie et de résistance. Ce fier-à-bras de Brocas était visiblement un personnage hors du commun, et le jeune officier des Dragons gloussait de plaisir à l'idée de la merveilleuse histoire qu'il allait ramener au mess, avec ce curieux individu d'un autre âge et la volée qu'allait lui infliger le célèbre boxeur londonien.

Billy, le petite palefrenier, assurait la garde des chevaux, tremblants et couverts de sueur.

---

7. **four-in-hands** : *véhicule à quatre chevaux* (dont le cocher/conducteur tient les guides).
8. **to curl** : *retrousser.*
9. **swallow-tail** : formé avec **swallow**, *hirondelle*, et **tail**, *queue.*
10. **snuff** : *tabac à priser.*
11. **knee-breeches** : *culotte courte, s'arrêtant au genoux.*
12. **wiry** : *sec, nerveux.* De **wire**, *fil métallique.*

'This way !' said the stout man, turning towards the gate. It was a sinister place, black and weird, with the crumbling pillars and the heavy arching trees. Neither the Baronet nor the pugilist liked the look of it[1].

'Where are you going, then ?'

'This is no place for a fight,' said the stout man. 'We've got as pretty a place as ever you saw[2] inside the gate here. You couldn't beat it on Molesey Hurst.'

'The road is good enough for me,' said Stevens.

'The road is good enough for two Johnny Raws[3],' said the man with the beaver hat. 'It ain't[4] good enough for two slap-up millin' coves like you an' me. You ain't afeard[5], are you ?'

'Not of you or ten like you,' said Stevens stoutly[6].

'Well, then, come with me and do it as it ought to be done.'

Sir Frederick and Stevens exchanged glances.

'I'm game,' said, the pugilist.

'Come on[7], then.'

The little party of four passed through the gateway. Behind them in the darkness the horses stamped[8] and reared, while the voice of the boy could be heard as he vainly tried to soothe them. After walking fifty yards[9] up the grass-grown drive the guide turned to the right through a thick belt[10] of trees, and they came out upon a circular plot[11] of grass, white and clear in the moonlight. It had a raised bank, and on the farther side was one of those little pillared stone summerhouses beloved by the early Georgians[12].

---

1. m. à m. : *ni le Baronet ni le pugiliste n'en aimaient l'allure.*
2. m. à m. : *un endroit aussi joli que nous en ayons jamais vu.*
3. **Johnny Raw** : de **Johnny**, *Jeannot* et de **raw**, *inexpérimenté, novice, neuf, bleu.*
4. **it ain't : it is not**. Prononciation [eɪnt].
5. **afeard** : archaïsme ou prononciation populaire de **afraid**, par confusion avec **fear**, *la peur.*
6. **stoutly** : adverbe formé sur **stout**, *1) fort, vigoureux, vaillant, ferme, résolu ; 2) gros, corpulent.*

« Par ici » dit l'homme corpulent en se tournant vers le portail. C'était un endroit sinistre, sombre et inquiétant, avec ses piliers croulants et l'épaisse voûte des arbres. Il ne disait rien de bon au Baronet et au pugiliste.

« Où allez-vous, donc ? »

« Ce n'est pas un lieu pour un combat » dit l'homme corpulent. On en a un tout-à-fait idéal au-delà de ce portail. Vous ne trouverez pas mieux à Molesey Hurst. »

« La route me va très bien», dit Stevens.

« La route c'est bien pour deux bleus » dit l'homme au chapeau en poil de castor. « C'est pas assez bon pour deux fameux champions comme toi et moi. T'as pas peur, hein ? »

« Pas de toi ou de dix comme toi, dit vigoureusement Stevens. »

« Eh bien, alors, viens avec moi et fais ça comme ça doit être fait. »

Si Frederick et Stevens échangèrent un regard.

« Je suis prêt, dit le pugiliste. »

« Allons-y alors. »

Le petit groupe de quatre franchit le portail.

Derrière eux dans l'obscurité les chevaux piaffaient et se cabraient, tandis qu'on entendait la voix du garçon qui essayait vainement de les calmer. Ils remontèrent sur cinquante mètres l'allée envahie par les herbes, puis leur guide tourna à droite en traversant un épais rideau d'arbres, et ils débouchèrent sur une pelouse circulaire, blanche et nette sous le clair de lune. Il y avait un talus, et à son extrémité, on voyait un de ces petits pavillons de jardin à colonnades que l'on aimait tant sous les premiers Georges.

---

7. **to come on** : *s'avancer, aller de l'avant.* **Come on** ! *allons-y.*
8. **to stamp** : *frapper du pied, trépigner.*
9. **yard** : *0,914 m.*
10. **belt** : *ceinture.*
11. **plot** : *parcelle, lopin, lot de terrain.*
12. **early Georgians** : personnes vivant sous les premiers des rois George. (George 1er, 1714-1727, George II, 1727-1760), George III, 1760-1820, George IV, 1820-1830).

'What did I tell you ?' cried the stout man triumphantly. 'Could you do better than this within twenty miles of town ? It was made for it. Now, Tom, get to work upon him[1], and show us what you can do.'

It had all become like[2] and extraordinary dream. The strange men, their odd dress, their queer speech, the moonlit circle of grass, and the pillared summer-house all wove[3] themselves into one fantastic whole[4]. It was only the sight of Alf Stevens's ill-fitting[5] tweed suit, and his homely English face surmounting it, which brought the Baronet back to the workaday[6] world. The thin stranger had taken off his beaver hat, his swallow-tailed coat, his silk waistcoat, and finally his shirt had been drawn over his head by his second. Stevens in a cool and leisurely fashion kept pace with[7] the preparations of his antagonist. Then the two fighting men turned upon each other.

But as they did so Stevens gave an exclamation of surprise and horror. The removal of the beaver hat had disclosed[8] a horrible mutilation of the head of his antagonist. The whole upper forehead had fallen in, and there seemed to be a broad red weal[9] between his close-cropped[10] hair and his heavy brows.

'Good Lord,' cried the young pugilist. 'What's amiss[11] with the man ?'

The question seemed to rouse a cold fury in his antagonist.

'You look out for[12] your own head, master,' said he.

---

1. **to work upon him** : comme un boxeur « travaille » son adversaire au corps, mais avec l'idée plus pernicieuse de le mettre gravement à mal (ce verbe est utilisé au sens de torturer, tabasser).
2. m. à m. : *tout était devenu comme…*
3. **to weave, wove, woven** : *tisser, tresser, entrelacer.*
4. m. à m. : *se fondaient tous en un ensemble fantastique.*
5. **ill-fitting** : qui convient mal, soit par la taille, soit par rapport à l'environnement. S'applique ici au vêtement mal taillé mais pourrait aussi souligner son caractère incongru vu les circonstances.

« Qu'est-ce que je vous disais ? » triompha le gros homme. « Vous pourriez trouver mieux à trente kilomètres de la ville ? C'est fait pour ça. Vas y, Tom, au travail et montre-nous ce que tu sais faire. »

On se serait cru dans un rêve extraordinaire. Ces hommes étranges, leurs tenues bizarres, leur singulier langage, le cercle de gazon éclairé par la lune, le pavillon à colonnes, tout cela tissait une toile fantastique. Seule la vue du complet de tweed mal ajusté d'Alf Stevens, et la bonne figure d'Anglais qui le surmontait, ramenèrent le Baronet à la réalité de tous les jours. Le plus mince des deux étrangers avait retiré son chapeau en castor, sa queue de pie, son gilet de soie, et finalement sa chemise, tirée par-dessus sa tête par son second. Stevens pendant le même temps s'était dévêtu avec calme et sans se presser. Puis les deux antagonistes se firent face.

Ce faisant, Stevens poussa une exclamation de surprise horrifiée. Débarrassée du chapeau, la tête de son adversaire révélait une terrible mutilation. Toute la partie supérieure du front était enfoncée et il semblait y avoir une large marque rouge entre ses cheveux coupés courts et ses sourcils broussailleux.

« Mon dieu » s'écria la jeune boxeur, « qu'est-il arrivé à cet homme ? »

La question sembla provoquer une colère froide chez son antagoniste.

« Occupe-toi donc de ta propre tête, patron, » dit-il.

---

6. **workaday** : *de chaque jour, prosaïque, ordinaire.*
7. **to keep pace with** : *aller au même rythme que, marcher du même pas que, aller à la même vitesse que.*
8. **to disclose** : *révéler, découvrir, divulguer, déceler, dévoiler.*
9. **weal** : *marque, trace, d'un coup.*
10. **close-cropped** : *coupé ras, rasé, tondu.* **To crop** : *tondre, tailler, couper.*
11. **amiss** : *mal, de travers, qui ne va pas.*
12. **To look out for something** : *veiller à, prendre garde à, se méfier de.*

'You'll find enough to do, I'm thinkin', without talkin' about mine.'

This retort drew a shout of hoarse laughter from his second. 'Well said, my Tommy !' he cried. 'It's Lombard Street[1] to a China orange[2] on the one and only.'

The man whom he called Tom was standing with his hands up[3] in the centre of the natural ring. He looked a big[4] man in his clothes, but he seemed bigger in the buff[5], and his barrel chest, sloping shoulders[6], and loosely-slung[7] muscular arms were all ideal for the game[8]. His grim[9] eyes gleamed fiercely beneath his misshapen[10] brows, and his lips were set in a fixed hard smile, more menacing than a scowl. The pugilist confessed, as he approached him, that he had never seen a more formidable figure. But his bold[11] heart rose to the fact that he had never yet found the man who could master him, and that it was hardly credible that he would appear as an old-fashioned stranger on a country road. Therefore, with an answering smile, he took up his position and raised his hands.

But what followed was entirely beyond his experience. The stranger feinted quickly with his left and, sent in a swinging hit with his right, so quick and hard that Stevens had barely time to avoid it and to counter with a short jab as his opponent rushed in upon him. Next instant the man's bony arms were round him, and the pugilist was hurled into the air in a whirling[12] cross-buttock, coming down with a heavy thud[13] upon the grass.

---

1. **Lombard Street** : rue de Londres où s'étaient installés les premiers banquiers et prêteurs venus d'Italie au moyen-âge. Symbolise le monde de la banque.
2. **China orange** : *petite orange acide des Philippines.*
3. **his hands up** : *pour se mettre en garde.*
4. **big** : *grand et fort. Grand* : **tall**.
5. **in the buff** : m. à m. : *tout nu.* A surtout survécu dans l'expression **stripped to the buff**, *nu comme un ver.* **Buff** : *peau de buffle, cuir épais.*
6. **sloping shoulders** : *épaules tombantes.* Mais ici suggère plutôt leur aspect musculeux.
7. **to sling, slung, slung** : *1) lancer, jeter* (avec une fronde, à la

« Ça va être assez dur, crois-moi, sans t'en faire pour la mienne. »

Cette réplique provoqua un éclat de rire enroué de la part de son second. « Bien dit, mon Tommy ! » s'écria-t-il. « Tout l'or du monde contre des nèfles sur le seul et unique. »

Celui qu'il appelait Tom se tenait, en garde, au centre du ring naturel. Habillé, il avait l'air solide, mais il semblait plus massif en petite tenue, et son torse puissant, le renflement de ses épaules, et ses bras aux muscles souples étaient idéaux pour son art. Son regard menaçant brillait sauvagement sous ses sourcils bosselés, et ses lèvres étaient figées en un sourire brutal, plus effrayant qu'une grimace. Le pugiliste s'avoua, en le voyant approcher, qu'il n'avait jamais vu un personnage plus impressionnant. Mais son courage se nourrissait de ce qu'il n'avait jamais trouvé son maître, et qu'il était peu vraisemblable que celui-ci se présente sous la forme d'un étranger vêtu à l'ancienne sur une route de campagne. C'est pourquoi, souriant à son tour, il prit position et se mit en garde.

Mais ce qui suivit était entièrement nouveau pour lui. L'étranger feinta rapidement du gauche et asséna un coup puissant de sa droite, si rapide et violent que Stevens eut juste le temps de l'éviter et de contrer d'un direct court alors que son adversaire se précipitait sur lui. L'instant suivant les bras osseux l'enserraient, et il fut soulevé prestement en l'air par une ceinture arrière, pour retomber sur l'herbe avec un bruit sourd.

---

main) *; 2) suspendre, porter en bandoulière.*

8. **game** : *1) amusement, divertissement, jeu, sport, partie, manche ; 2) gibier.*

9. **grim** : *sévère, sinistre, menaçant, lugubre.*

10. **misshapen** : *difforme, contrefait, irrégulier.*

11. **bold** : *courageux, audacieux, hardi, téméraire ; effronté, imprudent.*

12. **to whirl** : *tourner, tourbillonner ; faire tournoyer, faire tourbillonner.*

13. **thud** : *bruit sourd, son mat, « floc ».* **To thud** : *produire un son mat, tomber avec un bruit sourd, résonner sourdement.*

The stranger stood back and folded his arms while Stevens scrambled[1] to his feet with a red flush[2] of anger upon his cheeks.

'Look here,' he cried. 'What sort of game is this ?'

'We claim foul[3] !' the Baronet shouted.

'Foul be damned ! As clean a throw as ever I saw !' said the stout man. 'What rules do you fight under ?'

'Queensberry[4], of course.'

'I never heard of it. It's London prize-ring[5] with us.'

'Come on, then !' cried Stevens furiously. 'I can wrestle[6] as well as another. You won't get me napping[7] again.'

Nor did he. The next time that the stranger rushed in Stevens caught him in as strong a grip, and after swinging and swaying[8] they came down together in a dog-fall[9]. Three times this occurred, and each time the stranger walked across to his friend and seated himself upon the grassy bank before he recommenced.

'What d'ye make of him ?' the Baronet asked, in one of these pauses.

Stevens was bleeding from the ear, but otherwise showed no sign of damage[10].

'He knows a lot,' said the pugilist. 'I don't know where he learned it, but he's had a deal of practice somewhere. He's as strong as a lion and as hard as a board[11], for all his queer face.'

'Keep him at out-fighting[12]. I think you are his master there.'

---

1. **to scramble** : *1) se mouvoir à quatre pattes ; 2) se battre pour quelque chose ; se précipiter dans le désordre ; 3) faire quelque chose avec précipitation, affolement.* (Aviation militaire) **Scramble** ! *Alerte.*

2. **flush** : *afflux de sang (au visage), poussée, bouffée, élan, accès.* Signifie aussi *chasse-d'eau.* **To flush** : *1) jaillir, faire jaillir, déborder ; déclancher la chasse-d'eau ; 2)* **(= to blush)** *rougir (visage).*

3. **we claim foul** : de **to claim**, *réclamer, revendiquer*, et de **foul**, *coup irrégulier, faute, coup-bas.* **Foul play** *1) jeu déloyal, tricherie ; 2) pratique illégale, meurtre.* **Foul** : *répugnant, infecte, immonde, corrompu.*

4. **Queensberry** : le marquis de Queensberry fit adopter, en 1891, des règles régissant les combats de boxe (port des gants, trois minutes pour chaque round, knock-out dans un délai de dix secondes).

5. **prize-ring** : désigne la boxe professionnelle, où les combats sont dotés d'un prix ou récompense (**prize**), et ici un type de boxe à poings nus, où certaines prises de lutte étaient autorisées, antérieur aux **Queensberry Rules**.

6. **to wrestle** : *lutter, combattre à la lutte, au corps à corps.* **To wrestle**

L'étranger recula et croisa les bras tandis que Stevens se remettait sur pied, les joues rouges de colère.

« Qu'est-ce que c'est que ça ? » cria-t-il. « À quel jeu joue-t-on ? »

« Coup irrégulier ! » hurla le Baronet.

« Ça me ferait mal ! Une prise tout à fait régulière » dit le gros homme. « Selon quelles règles combattez-vous ? »

« Queensberry, bien sûr. »

« Jamais entendu parler. Nous c'est les règles des rings de Londres. »

« Vas y alors », s'écria Stevens, furieux. « Je connais la lutte aussi bien qu'un autre. Tu ne me surprendras pas à nouveau. »

Il disait vrai. À la première ruée de l'étranger, Stevens le saisit dans une étreinte aussi puissante, et oscillant et tanguant, ils tombèrent tous deux à terre sans qu'aucun ait pu prendre l'avantage. Cela se produisit trois fois, et à chaque fois l'étranger alla rejoindre son ami et s'assit sur le talus herbeux avant de reprendre le combat.

« Quelle impression il vous fait ? » demanda le Baronet pendant une de ces pauses.

Stevens saignait de l'oreille, mais paraissait autrement indemne.

« Il en connaît un rayon », dit le boxeur. Je ne sais pas où il a appris, mais il a beaucoup pratiqué quelque part. Il est fort comme un lion et dur comme du bois, malgré son drôle de visage. »

« Maintenez-le à distance. Je pense que vous le dominez dans ce domaine. »

---

with a problem, *être aux prises avec, s'attaquer à un problème.* **Wrestling**, *la lutte (sport).*

7. **to nap** : *faire un somme, sommeiller.* **to catch someone napping** : *prendre au dépourvu, surprendre.*

8. **to sway** : *1) se balancer, osciller ; pencher, incliner ; 2) gouverner, diriger, influencer, influer.* **To hold sway on/over** : *régner sur, exercer le pouvoir sur, dominer.*`

9. **dog-fall** : au cours d'un combat de lutte, chute simultanée des deux combattants sans qu'aucun n'obtienne un avantage.

10. **damage** : comme singulier invariable, signifie *dégât(s), dommage(s).* **Damage is considerable**, *les dégâts sont énormes.* Au pluriel, **damages**, signifie *dommages et intérêts.*

11. **board** : *1) planche, tableau ; 2) conseil.* **Board of directors**, *conseil d'administration.*

12. **outfighting** : *combat à distance*, s'oppose à **infighting**, *combat de près, corps à corps* (ce dernier mot désignant aussi, dans d'autres contextes, de violents affrontements internes).

'I'm not so sure that I'm his master anywhere, but I'll try my best.'

It was a desperate fight, and as round followed round it became clear, even to the amazed Baronet, that the middleweight champion had met his match[1]. The stranger[2] had a clever draw[3] and a rush which, with his springing hits[4], made him a most dangerous foe[5]. His head and body seemed insensible to blows, and the horribly malignant smile never for one instant flickered[6] from his lips. He hit very hard with fists like flints, and his blows whizzed[7] up from every angle. He had one particularly deadly lead[8], an uppercut at the jaw, which again and again nearly came home[9], until at last it did actually fly past[10] the guard and brought Stevens to the ground. The stout man gave a whoop of triumph.

'The whisker hit, by George ! It's a horse to a hen on my Tommy ! Another like that, lad, and you have him beat.'

'I say, Stevens, this is going too far,' said the Baronet, as he supported his weary man. «What will the regiment say if I bring you up all knocked to pieces in a bye-battle[11] ! Shake hands with this fellow and give him best[12], or you'll not be fit for your job.'

'Give him best ? Not I !' cried Stevens angrily. 'I'll knock that damned smile off his ugly mug[13] before I've done.'

'What about the Sergeant ?'

'I'd rather go back to London and never see the Sergeant than have my number taken down by this chap.'

'Well, 'ad enough ?' his opponent asked, in a sneering voice, as he moved from his seat ont he bank.

---

1. **to meet one's match** : *rencontrer son égal, trouver à qui parler, trouver son homme, avoir affaire à forte partie.* Cf. **to match** *1) assortir, apparier ; 2) égaler, être l'égal de, rivaliser avec.*
2. **stranger** : *étranger,-ère,* au sens de celui/celle que l'on ne connaît pas. À distinguer de **foreigner**, étranger qui vient d'un autre pays.
3. **draw** : façon de « tirer », c'est-à-dire de boxer.
4. **to spring, sprang, sprung** : *jaillir, bondir.*
5. **foe** : *ennemi.* Subsiste surtout grâce à l'allitération dans l'expression **friend or foe**, *ami ou ennemi.*
6. **to flicker** : *vaciller, osciller, trembloter.* **A smile flickered on his lips**, *un sourire effleura ses lèvres.*
7. **to whizz** : *1) siffler aux oreilles ; 2) jaillir, passer, avec une extrême rapidité.*
8. **lead** [li:d] : *premier coup d'une série.*

« Je ne suis pas sûr de le dominer dans un domaine quelconque, mais je ferai de mon mieux. »

Ce fut un combat acharné, et, au fil des rounds, il devint évident, même pour le Baronet abasourdi, que le champion des poids-moyens avait trouvé à qui parler. L'étranger avait une boxe adroite et une façon de se ruer à l'attaque, qui, jointe à sa frappe élastique, en faisaient un terrible adversaire. Sa tête et son corps semblaient insensibles aux coups, et son sourire horriblement mauvais ne quittait jamais ses lèvres. Il cognait très fort avec des poings durs comme du silex, et ses coups jaillissaient sous tous les angles. Il avait une arme particulièrement redoutable, un uppercut à la mâchoire, qui à de nombreuses reprises échoua de peu, pour enfin franchir la garde et mettre Stevens au tapis. Le gros homme poussa un hurlement de triomphe.

« Le coup des favoris, sacrebleu !. Un cheval contre une poule sur mon Tommy ! Un autre coup comme ça et tu l'as battu ! »

« Dites, Stevens, ça va trop loin », dit le Baronet, en soutenant son champion fatigué. « Que dira le régiment si je vous amène complètement démoli du fait d'un combat inutile ? Serrez la main de ce type et reconnaissez sa victoire, ou vous ne serez pas en état de faire votre travail. »

« M'avouer vaincu ? Pas moi ! » s'écria rageusement Stevens. « Je vais effacer ce maudit sourire de sa face avant d'en avoir fini. »

« Et le Sergent ? »

« J'aime mieux retourner à Londres et ne jamais rencontrer le Sergent que de me faire battre par ce type. »

« Alors, ça t'suffit ? » demanda son adversaire, d'un ton méprisant, en se levant du talus.

---

9. **to come home** : *atteindre sa cible, arriver au but, faire mouche.*

10. **to fly past** : la préposition « **past** » indique que le coup passe au travers de la garde, « **fly** » indique la rapidité de l'action.

11. **a bye-battle** : dans un tournoi, un « **bye** » est le fait pour un concurrent de passer automatiquement au tour suivant sans rencontrer d'adversaire. C'est donc un combat qui n'a pas besoin d'avoir lieu.

12. **to give someone best** : reconnaître sa défaite devant quelqu'un, s'avouer vaincu, reconnaître que quelqu'un est plus fort que soi.

13. **mug** : (familier pour visage) *museau, binette, fiole, tronche*. (US) **mug-shot** : photo du visage d'un suspect prise par la police.

For answer young Stevens sprang forward and rushed at[1] his man with all the strength that was left to him. By the fury of his onset[2] he drove him back, and for a long minute had all the better of the exchanges. But this iron fighter seemed never to tire. His step was as quick and his blow as hard as ever when this long rally[3] had ended. Stevens had eased up[4] from pure exhaustion. But his opponent did not ease up. He came back on him with a shower[5] of furious blows which beat down the weary guard of the pugilist. Alf Stevens was at the end of his strength and would in another instant have sunk[6] to the ground but for a singular intervention.

It has been said that in their approach to the ring the party had passed through a grove of trees. Out of these there came a peculiar shrill cry, a cry of agony[7], which might be from a child or from some small woodland creature in distress. It was inarticulate, high-pitched, and inexpressibly melancholy[8]. At the sound the stranger who had knocked Stevens on to his knees, staggered back[9] and looked round him with an expression of helpless horror upon his face. The smile had left his lips and there only remained the loose-lipped[10] weakness of a man in the last extremity of terror.

'It's[11] after me again, mate !' he cried.

'Stick it out[12], Tom ! You have him nearly beat[13] ! It can't hurt you.'

'It can 'urt me ! It will'urt me !' screamed the fighting man. 'My God ! I can't face it ! Ah, I see it ! I see it !'

---

1. **rushed at his man** : la préposition « at » indique souvent l'hostilité, l'agressivité.
2. **onset** : *1) début, commencement ; 2) attaque, assaut.*
3. **rally** : *1) rassemblement, meeting ; 2) fait de reprendre la situation en main ; 3) amélioration (de la santé), reprise (boursière).*
4. **to ease up** : *relâcher son effort, alléger sa pression, se relâcher ; diminuer la vitesse.*
5. **shower** : *1) averse ; 2) douche.*
6. **to sink, sank,sunk** : *couler, sombrer ; s'affaisser, baisser considérablement* ; (entreprise, etc.) *ruiner, couler.*
7. **agony** : *angoisse, douleur atroce, supplice.* **The agony column**, le courrier du cœur. *Être à l'agonie*, **to be at death's door, to be in the throes of death**.

Pour toute réponse le jeune Stevens bondit et s'élança sur son adversaire avec tout ce qui lui restait de force. Il le repoussa d'un élan furieux, et pendant une longue minute domina largement les échanges. Mais ce combattant d'airain semblait infatigable. Ses jambes étaient aussi rapides et sa frappe aussi dure lorsque cette longue contre-attaque prit fin. Stevens frappait moins fort par pur épuisement. Mais son adversaire ne faiblissait pas. Il revint à la charge avec une pluie de coups violents qui firent baisser la garde du pugiliste fatigué. Alf Stevens était au bout de ses forces et aurait glissé au sol l'instant suivant sans une intervention singulère.

On se souvient qu'en se dirigeant vers le ring naturel, le groupe avait traversé un bosquet. Il en jaillit un étrange cri aigu, un cri de souffrance, qui pouvait provenir d'un enfant ou d'une petite créature des bois affolée. C'était un cri inarticulé, haut perché, et d'une indicible tristesse. En l'entendant, l'étranger, dont les coups avaient mis Stevens à genoux, recula en titubant et regarda autour de lui avec une expression d'horreur impuissante. Le sourire s'était éteint sur ses lèvres, qui, béantes, trahissaient maintenant la faiblesse d'un homme en proie à la plus intense terreur.

« Elle est encore après moi ! » cria-t-il.

« Ne flanche pas Tom. Tu l'a presque eu ! Elle ne peut pas te faire de mal. »

« Mais si ! Elle va me faire mal ! » hurla le boxeur. « Seigneur ! Je ne peux pas la regarder ! Ah, je la vois ! je la vois ! »

---

8. **melancholy** : la forme est la même pour l'adjectif et le verbe. **To be melancholy**, *être mélancolique.* **Various forms of melancholy**, différentes formes de mélancolie.
9. **to stagger back** : la postposition **back** indique le mouvement de recul, **to stagger** précise la façon dont il s'opère, en titubant.
11. **loose-lipped** : de **loose**, *lâche, relaché, pendant*, et de **lip**, *lèvre.*
11. **it's : it is**. Le pronon neutre **it** montre qu'il ne s'agit pas d'un être humain.
12. **to stick it out** : *tenir bon, résister, persévérer, surmonter une crise, survivre à une période difficile.*
13. **beat** : forme populaire du participe passé **beaten (to beat, beat, beaten)**.

With a scream of fear he turned and bounded off into the brushwood. His companion, swearing[1] loudly, picked up the pile of clothes and darted[2] after him, the dark shadows swallowing up their flying figure.

Stevens, half-senselessly, had staggered back and lay[3] upon the grassy bank, his head pillowed[4] upon the chest of the young Baronet, who was holding his flask of brandy to his lips. As they sat there they were both aware[5] that the cries had become louder and shriller. Then from among the bushes[6] there ran a small white terrier, nosing[7] about as if following a trail and yelping most piteously. It squattered across the grassy sward[8], taking no notice of the two young men. Then it also vanished into the shadows. As it did so[9] the two spectators sprang to their feet and ran as hard as they could tear[10] for the gateway and the trap. Terror had seized them – a panic terror far above reason or control. Shivering and shaking, they threw themselves into the dogcart, and it was not until the willing horses had put two good miles between that ill-omened[11] hollow and themselves that they at last ventured to speak.

'Did you ever see such a dog ?' asked the Baronet.

'No,' cried Stevens. 'And, please God, I never may again.'

Late that night the two travellers broke their journey at the Swan Inn, near Harpenden Common[12]. The landlord was an old acquaintance of the Baronet's, and gladly joined him in a glass of port after supper.

---

1. **to swear, swore, sworn** : *1) jurer (prêter serment) ; 2) jurer (proférer des jurons).*

2. **to dart** : *filer comme un trait, une flèche* (**a dart**), *foncer, se précipiter, s'élancer ; décocher.*

3. **to lie,lay, lain** : *se trouver, s'étendre ; être allongé/étendu ; s'allonger, s'étendre, se coucher.*

5. **aware** : *conscient, averti, au courant.*

6. **bush, bushes** : *buisson, taillis, fourré, broussailles ; brousse.*

7. **to nose about** : *fouiner, fureter, fouiller.* Cf. **to be nos(e)y**, *mettre son nez partout, être fureteur, se mêler de ce qui ne nous regarde pas.*

Hurlant de terreur il fit demi-tour et se précipita dans les broussailles. Son compagnon, jurant bruyamment, ramassa le tas de vêtements et fila après lui, et l'ombre épaisse avala leurs silhouettes en fuite.

Stevens, à moitié sonné, avait reculé en titubant et était étendu sur le talus herbeux, sa tête reposant contre la poitrine du jeune Baronet, qui lui portait aux lèvres son flacon de cognac. Assis côte à côte, ils entendirent tous deux les cris devenir plus forts et plus aigus. Jaillit alors du fourré un petit terrier blanc, flairant de droite et de gauche comme s'il suivait une piste et aboyant de la façon la plus pitoyable. Il traversa le gazon en zigzaguant, ignorant les deux jeunes gens. Puis il disparut lui aussi dans les ténèbres. À ce moment les deux témoins se dressèrent et se mirent à courir aussi vite qu'ils le pouvaient vers le portail et la voiture. Ils étaient saisis de terreur, une terreur panique au-delà de la raison ou du contrôle de soi. Tremblants et chancelants, ils se jetèrent dans le véhicule et ce n'est que lorsque la bonne volonté des chevaux eut mis trois bons kilomètres entre eux et ce vallon maléfique, qu'ils se risquèrent à parler.

« Avez-vous jamais vu un chien comme ça ? » demanda le Baronet.

« Non », s'écria Stevens. « Et plaise à Dieu que je n'en revoie jamais. »

Tard cette nuit là les deux voyageurs firent étape à l'Auberge du Cygne, près d'Harpenden Common. Le maître des lieux était une vieille connaissance du Baronet, et se joignit avec plaisir à eux pour boire un verre de porto après souper.

---

8. **sward** : prononciation [swɔːd], littéraire pour gazon (**turf**).
9. m.à m. : *comme il faisait cela.*
10. **to tear** [teər], **tore, torn** : *1) déchirer ; 2)* (ici) *aller à toute vitesse, ventre à terre.*
11. **ill-omened** : *de mauvais augure, né(e) sous de mauvais auspices.* De **omen**, *augure, auspice(s), présage.*
12. **common(s)** : à l'origine, lieu non enclos pour la libre pâture des animaux dont les propriétaires n'avaient pas – ou peu – de terres.

A famous old sport was Mr. Joe Horner, of the Swan, and he would talk by the hour of the legends of the ring, whether[1] new or old. The name of Alf Stevens was well known to him, and he looked at him with the deepest interest.

'Why[2], sir, you have surely been fighting,' said he. 'I hadn't read of any engagement in the papers.'

'Enough said of that,' Stevens answered in a surly[3] voice.

'Well, no offence ! I suppose' – his smiling face became suddenly very serious – 'I suppose you didn't, by chance, see anything of him they call the Bully of Brocas as you came north ?'

'Well, what if we did[4] ?'

The landlord was tense with excitement.

'It was him[5] that nearly killed Bob Meadows. It was at the very gate of Brocas Old Hall that he stopped him. Another man was with him. Bob was game to the marrow[6], but he was found hit to pieces on the lawn inside the gate[7] where the summer-house stands.'

The Baronet nodded[8].

'Ah, you've been there !' cried the landlord.

'Well, we may as well make a clean breast of it[9],' said the Baronet, looking at Stevens. 'We have been there, and we met the man you speak of – an ugly[10] customer he is, too !'

'Tell me !' said the landlord, in a voice that sank to a whisper.

---

1. **whether new or old** : m. à m. ; *qu'elles soient nouvelles ou anciennes, soit nouvelles, soit anciennes, ou bien nouvelles ou bien anciennes.*

2. **why** : utilisé comme exclamatif,signifie *eh bien !, tiens !, dites-donc*, et indique la surprise.

3. **surly** : *revêche, maussade, bourru, renfrogné, peu amène, qui a de mauvaises manières.*

4. **did** : reprend ici, sous forme affirmative, le « **I suppose you didn't see...** », et la phrase signifie donc « *Et alors, si nous l'avions vu...* ».

5. **him** : le purisme demanderait **he**, car c'est le vrai sujet, repris par **that**, du verbe **killed**.

Un fameux amateur de sport, ce monsieur Joe Horner, du Cygne, qui pouvait parler pendant des heures des légendes du ring, anciennes ou actuelles. Le nom d'Alf Stevens lui était familier, et il l'observait avec le plus grand intérêt.

« Je vois, monsieur, que vous vous êtes sûrement battu », dit-il. Je n'avais pas vu de rencontre annoncée dans les journaux. »

« Ne parlons plus de ça » répondit Stevens d'une voix maussade.

« Oh, sans vous offenser, je suppose » – son visage souriant devenant soudain très sérieux – « je suppose que vous n'êtes pas, par hasard, tombé sur celui qu'on appelle la Brute de Brocas, en montant vers le nord ? »

« Et si c'était le cas ? » Le tenancier vibrait d'excitation.

« C'est lui qui a presque tué Bob Meadows. C'est précisément aux portes du vieux manoir de Brocas qu'il l'a arrêté. Il y avait un autre homme avec lui. Bob était le courage même, mais on l'a trouvé mis en pièces sur la pelouse après le portail, là où se trouve le pavillon d'été.

Le Baronet acquiesça.

« Ah vous y êtes allés ! » s'écria le tenancier.

« Bon, autant le reconnaître », dit le Baronet, en regardant Stevens. « Nous y sommes allés, et nous avons rencontré celui dont vous parlez, et on peut dire que c'est un sacré client ! »

« Dites-moi », fit le tenancier, sa voix se réduisant à un murmure.

---

6. **marrow** : *mœlle*. **To be chilled/frozen to the marrow** : glacé jusqu'aux os/à la mœlle.
7. **inside the gate** : *de l'autre côté du portail, une fois le portail franchi* (m. à m. : *à l'intérieur de*).
8. **to nod** : *opiner,* hocher la tête en signe d'acquiescement/d'assentiment, faire un signe de tête, faire signe que oui, incliner la tête ; saluer. **to nod approval**, *acquiescer.* Contraire : **to shake one's head** (en signe de refus).
9. **to make a clean breast of it** : *reconnaître les faits, avouer* (se libérer d'un poids qu'on a sur la poitrine, **breast**).
10. **ugly** : *laid* (au moral comme au physique), *répugnant, horrible, vilain.* **ugly customer** : *sale individu.*

'Is it true what Bob Meadows says, that the men are dressed like our grandfathers, and that the fighting man has his head all caved in ?'

'Well, he was old-fashioned, certainly, and his head was the queerest ever I saw[1].'

'God in Heaven !' cried the landlord. 'Do you know, sir, that Tom Hickman, the famous prize-fighter, together with his pal, Joe Rowe, a silversmith of the City, met his death at that[2] very point in the year 1822, when he was drunk, and tried to drive on the wrong side of a wagon[3] ? Both were killed and the wheel of the wagon crushed in[4] Hickman's forehead.'

'Hickman ! Hickman !' said the Baronet. 'Not the gasman ?'

'Yes, sir, they called him Gas. He won his fights with what they called the "whisker hit", and no one could stand against him until Neate – him that they called the Bristol Bull – brought him down.'

Stevens had risen from the table as white as cheese[5].

'Let's get out of this[6], sir. I want fresh air. Let us get on our way.'

The landlord clapped him on the back.

'Cheer up, lad[7] ! You've held him off[8], anyhow, and that's more than anyone else has ever done. Sit down and have another glass of wine, for if a man in England has earned it this night it is you. There's many a debt[9] you would pay if you gave the Gasman a welting[10], whether dead or alive. Do you know what he did in this very room ?'

---

1. **the queerest ever I saw** : en rapprochant **ever** de **queerest**, cette formule, plus populaire et idiomatique, insiste davantage sur l'étrangeté du visage que ne le ferait **the queerest I ever saw.**
2. **that** indique un endroit où l'on ne se trouve pas. Comparez avec (au bas de cette page) **in this very room**, où **this** désigne l'endroit où l'on se trouve.
3. m. à m. : *du mauvais côté d'un chariot.*
4. **to crush** : *écraser, broyer.* **In** ajoute l'idée que le front est enfoncé.
5. m. à m. : *aussi blanc que du fromage.*

« C'est vrai, ce que dit Bob Meadows, que ces hommes sont vêtus comme nos grand-pères, et que celui qui se bat a la tête toute défoncée ? »

« Eh bien, il était équipé à l'ancienne, c'est sûr, et sa tête était la plus bizarre que j'aie jamais vue. »

« Dieu du ciel » s'écria le tenancier. « Savez-vous que Tom Hickman, le fameux boxeur professionnel, accompagné de son copain, Joe Rowe, un orfèvre de la Cité, a trouvé la mort à cet endroit précis, en l'an 1822, alors qu'il était ivre et qu'il a essayé de conduire un chariot par en-dessous ? Ils ont été tués tous les deux et la roue du chariot a écrabouillé le front d'Hickman. »

« Hickman ! Hickman ! » dit le Baronet. « Vous ne voulez-pas dire le gazier ? »

« Si, monsieur, on l'appelait Gaz. Il gagnait ses combats avec ce qu'on appelait son « coup des favoris », et personne ne tenait devant lui jusqu'à ce que Neate – celui qu'on appelait le Taureau de Bristol – le mette hors de combat. »

Stevens s'était levé de table, pâle comme un linge. « Partons d'ici, monsieur. Je veux prendre l'air. Reprenons la route. »

Le tenancier lui donna une claque dans le dos.

« Courage, mon gars ! Vous lui avez résisté, en tout cas, et c'est plus que n'a jamais fait quiconque. Asseyez-vous et prenez un autre verre de vin, car si un homme en Angleterre l'a bien gagné cette nuit, c'est vous. Vous régleriez bien des comptes en mettant une râclée au Gazier, mort ou vivant. Vous savez ce qu'il a fait dans cette pièce même ? »

---

6. **let's get out of this** : *sortons d'ici* ; mais suggère aussi l'idée d'oublier toute cette histoire, de laisser derrière soi cet épisode.
7. **to cheer up** : *reprendre courage/espoir, se dérider, se réconforter.* **Lad** : *garçon, gosse, gamin.* (Fam.) *gars, copain, mec,* etc.
8. **to hold off** : *tenir éloigné, tenir à distance, empêcher de progresser.* Ici résister efficacement.
9. **debt** [det] : signifie à la fois dette et créance. Attention : le « b » n'est pas prononcé.
10. **welting** : de **welt** *marque de coup, zébrure, marbrure*, et de **to welt**, *imprimer de telles marques, donner une volée, une râclée, rosser.*

The two travellers looked round with startled[1] eyes at the lofty room, stone-flagged and oak-panelled, with great open grate at the farther end.

'Yes, in this very room. I had it from old Squire[2] Scotter, who was here that very night. It was the day when[3] Shelton beat Josh Hudson out St. Albans way[4], and Gas had won a pocketful of money on the fight. He and his pal Rowe came in here upon their way, and he was mad-raging drunk. The folk fairly shrunk[5] into the corners and under the tables, for he was stalkin'[6] round with the great kitchen poker in his hand, and there was murder behind the smile upon his face. He was like that when the drink was in him – cruel, reckless[7], and a terror to the world. Well, what think you[8] that he did at last with the poker ? There was a little dog, a terrier as I've heard, coiled up before the fire, for it was a bitter December night. The Gasman broke its back with one blow of the poker. Then he burst out laughin', flung[9] a curse[10] or two at the folk that shrunk away from him, and so out[11] to his high gig that was waiting outside. The next we heard[12] was that he was carried down to Finchley with his head ground[13] to a jelly by the wagon wheel. Yes, they do say the little dog with its bleeding skin and its broken back has been seen since then, crawlin' and yelpin' about Brocas Corner, as if it were lookin' for the swine[14] that killed it. So you see, Mr. Stevens, you were fightin' for more than yourself when you put it across[15] the Gasman.'

'Maybe so,' said the young prize-fighter, 'but I want no more fights like that. The Farrier-Sergeant is good enough for me, sir, and if it is the same to you, we'll take a railway train back to town.'

---

1. **to startle** : *faire sursauter/tressaillir, surprendre, donner un choc.*
2. **squire** : *propriétaire terrien, châtelain.* De **esquire**, *écuyer.*
3. **the day when** : cf. **at a time when**, etc. L'anglais emploie une conjonction de temps.
4. **out St-Albans way : out** veut dire *là-bas*, **way** a son sens de direction.
5. **to shrink, shrank, shrunk** : *(se) rétrécir, (se) réduire, (se) contracter, diminuer* (de taille), *rapetisser.*
6. **to stalk** : *traquer* (gibier, etc.), *filer* (un suspect, etc.).
7. **reckless** : *imprudent, téméraire, casse-cou ; insouciant.* **Reckless driving** : *conduite dangereuse.*
8. **what think you** : cette forme ancienne, pour **what do you**

Les deux voyageurs jetèrent autour d'eux des regards étonnés sur la vaste pièce au dallage de pierre et aux lambris de chêne, avec à son extrémité un grand foyer ouvert.

« Oui, dans cette pièce même. Je le tiens du vieux Squire Scotter, qui était présent ce jour-là. C'est le jour où Shelton a battu Josh Hudson du côté de St-Albans, et Gaz avait touché un bon paquet en pariant sur le combat. Lui et son copain Rowe s'arrêtèrent ici en route, et il était bestialement ivre. Les gens essayaient de disparaître dans les coins et sous les tables, car il allait et venait avec le grand tisonnier de la cuisine à la main, et l'on sentait une folie meurtrière derrière son sourire. Il était comme ça quand il avait bu – cruel, incontrôlable, la terreur de tous. Et devinez ce qu'il finit par faire avec le tisonnier ? Il y avait un petit chien, un terrier à ce que j'ai entendu, pelotonné devant l'âtre, car c'était une nuit glaciale de décembre. Le Gazier lui a brisé les reins d'un coup de tisonnier. Puis il a éclaté de rire, a lancé un juron ou deux à ceux qui reculaient devant lui, et gagné le cabriolet haut sur roues qui l'attendait dehors. Quand on entendit reparler de lui, ce fut pour apprendre qu'il avait été transporté à Finchley avec la tête réduite en bouillie par la roue du chariot. Oui, c'est vrai qu'on dit que le petit chien, avec sa peau ensanglantée et ses reins brisés a été vu depuis, rampant et jappant autour du carrefour de Brocas, comme s'il cherchait la brute qui l'a tué. Vous voyez, monsieur Stevens, que ce n'est pas pour vous seul que vous combattiez, quand vous avez affronté le Gazier. »

« Peut-être bien », dit le jeune professionnel, « mais je ne veux plus de combats comme ça. Le Maréchal Ferrant Chef me convient parfaitement, et si vous êtes d'accord, nous ferons le voyage de retour en train. »

---

think, a subsisté au sens de « le croiriez-vous ».

9. **to fling, flung, flung** : *lancer, jeter, flanquer.* **To fling a door open**, *ouvrir une porte à la volée.*

10. **curse** : *1) malédiction ; 2) juron.*

11. **out** : l'absence de verbe donne de la vivacité à cette fin de phrase, comme le ferait le français « et hop… »

12. **we heard** : cf. **to hear of someone**, *avoir des nouvelles de quelqu'un.*

13. **to grind, ground, ground** : *écraser, broyer, moudre, réduire en pièces.*

14. **swine** : la forme est la même au singulier et au pluriel (pas de « s »). *1) cochon, porc ; 2) ordure, charogne, salaud.*

15. **to put it across someone** : (populaire) *battre à plate couture, rosser, régler son compte à.* (En fait c'est Stevens qui a failli se faire rosser…).

Impression réalisée sur Presse Offset par

44081 – La Flèche (Sarthe), le 21-10-2007
Dépôt légal : mai 2005
Suite du premier tirage : octobre 2007

POCKET – 12, avenue d'Italie - 75627 Paris cedex 13

Imprimé en France